숭실100일성공3기 챌린지
- 100일 변화의 힘 기르기

숭실100일성공3기 챌린지
100일 변화의 힘 기르기

발 행 | 2024년 7월 20일
저 자 | 이현주, 황명일, 서현진, 원준원, 이한솔, 진광렬
펴낸이 | 한건희
펴낸곳 | 주식회사 부크크
출판사등록 | 2014.07.15.(제2014-16호)
주 소 | 서울특별시 금천구 가산디지털1로 119 SK트윈타워 A동 305호
전 화 | 1670-8316
이메일 | info@bookk.co.kr

ISBN | 979-11-410-9494-2

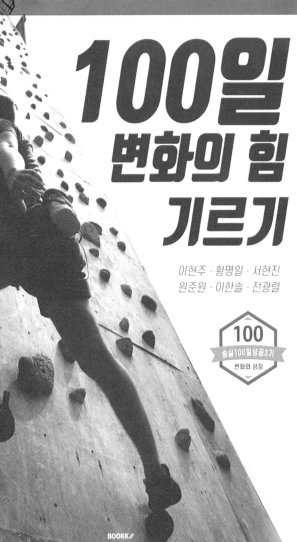

숭실100일성공3기 챌린지

100일
변화의 힘
기르기

이현주 · 황명일 · 서현진
원준원 · 이한솔 · 전광렬

100
숭실100일성공3기
변화와 성장

BOOKK

| 차례 |

숭실100일성공 챌린지, 도전과 변화

숭실대학교 경영학부 겸임교수를 시작하고, 단순히 지식 전달을 넘어 학생들의 삶에 진정한 변화를 가져다줄 방법을 고민했습니다. 그 고민 끝에 탄생한 것이 바로 1:1 멘토 코칭 프로그램이었습니다. 마음 관리부터 커리어 플랜까지, 학생 개개인의 성장을 위한 맞춤형 코칭을 제공했습니다. 멘토링을 받은 학생들은 놀라운 성장을 이루었지만, 코칭이 끝난 후에는 다시 예전의 모습으로 돌아가는 경우도 있었습니다.

이러한 경험을 통해, 학생들이 스스로 동기 부여를 하고 지속적인 성장을 이어갈 수 있도록 돕는 새로운 방법이 필요하다는 것을 깨달았습니다. 사용자 경험 디자인 컨설팅 전문가이자 코칭 전문가로서의 역량을 발휘하여, 학생들 스스로 성공 DNA를 체득할 수 있는 프로그램을 만들고자 했습니다. 그렇게 탄생한 것이 바로 '숭실100일성공' 챌린지입니다.

이 챌린지를 통해 학생들에게 전하고 싶은 두 가지 핵심 메시지가 있습니다. 첫째, '실패는 없다. 경험은 자산이 된다.'라는 것입니다. 모든 도전과 경험은 성공과 실패를 떠나 값진 자산이 되며, 미래를 위한 발판이 됩니다. 둘째, '실행을 통해 자신의 가능성과 잠재력은 확장된다.'라는 것입니다. 어려움에 굴하지 않고 스스로 선택하고 행동하며 끊임없이 성장하는 경험을 통해 무한한 가능성을 발견할 수 있습니다.

100일 동안 끊임없이 목표를 향해 나아가는 과정은 그 자체로 위대한 도전입니다. 매일의 작은 실천들이 모여 만들어 내는 놀라운 변화를 믿습니다. 이 책, '숭실100일성공3기 챌린지, 변화의 힘 기르기'는 도전과 성장의 여정을 담은 기록입니다. 어려움을 극복하고 변화를 만들어 낸 참가자들의 이야기가 독자들에게 깊은 공감과 용기를 선사할 것입니다.

2024년 7월
이현주

- 이메일 flossy@naver.com
- 인스타그램 lmdvalues
- 블로그 lmd_values

숭실100일성공3기 챌린지 시작

이번 챌린지는 세 번째 챌린지입니다. 숭실100일성공3기 챌린지는 2024년 3월 15일부터 6월 22일까지 100일을 진행하였습니다. 그동안 숭실100일성공1기 챌린지는 2023년 3월 시작하여 100일을 진행하였고, 숭실100일성공2기는 2023년 9월에서 12월까지 100일을 진행하였습니다.

숭실100일성공3기 엠블럼

이번 '숭실100일성공3기'는 숭실대학교 학생들을 넘어, 다양한 학교의 학생들과 유학생들까지 함께하며 더욱 특별한 의미를 더했습니다. 변화와 성장을 꿈꾸는 학생들이 용기 내어 다른 학교의 챌린지에 참여하고, 서로에게 힘이 되어주는 모습은 깊은 감동을 선사했습니다. 이 경험은 참여한 모든 학생들에게 잊지 못할 성공의 자양분이 되었으리라 확신합니다.

인스타그램은 챌린지 참여자들의 열정과 성장을 생생하게 보여주는 공간이었습니다. 사진과 영상으로 기록된 실천 결과는 서로에게 긍정적인 에너지를 불어넣었고, 끊임없는 응원과 격려는 챌린지의 활력을 더하며 끈끈한 유대감을 형성했습니다.

1기와 2기 챌린지 멤버들의 인스타그램 인증은 많은 기업인들의 이목을 집중시키며, 학생들의 '변화에 대한 열정과 도전 정신'에 대한 뜨거운 관심을 불러일으켰습니다. 이러한 열기를 이어받아 '숭실100일성공3기'의 시작 소식 또한 인스타그램을 통해 알려졌고, 학교 안팎의 선배들과 기업가들의 격려 속에 힘찬 첫발을 내디뎠습니다.

숭실100일성공3기 선포식

2024년 3월 12일 저녁 7시, 온라인에서 진행된 '숭실100일성공3기' 선포식은 뜨거운 열기로 가득했습니다.

선포식에서는 6개의 질문에 답하며 각자의 목표와 실행 계획을 발표하고, 챌린지를 향한 굳은 각오를 다짐하는 시간을 가졌습니다. 서로의 마음을 열고 응원을 주고받으며 100일간의 특별한 동행을 시작하는 의미 있는 시간이었습니다.

100일 실천을 위한 6개 질문

1. 나는 누구인가?
2. 무엇을 실천할 것인가?,
3. 인증은 어떻게 할 것인가?
4. 챌린지에 참가한 이유는?
5. 스스로에게 보내는 한마디는?
6. 챌린지 동기에게 보내는 응원 한마디는?

배재훈 전 HMM 대표님과 미국 Sullivan & Cromwell의 Kelvin, Kim 변호사님의 따뜻하고 힘찬 응원 영상은 참가자들에게 큰 힘을 실어주었습니다.

숭실100일성공3기 챌린지 선포식

100일 실천을 위한 목표 설정 과정

    100일 챌린지의 첫 단추는 자신에게 맞는 실천 항목을 찾는 과정이었습니다. 1단계에서는 스스로 탐색하는 시간을 가졌고, 2단계에서는 이현주 교수와의 1:1 멘토 코칭을 통해 목표를 구체화하고 실행 계획을 세웠습니다.

    멘토 코칭은 단순히 목표를 설정하는 것을 넘어, 챌린지 참여 동기와 목표 달성을 통해 얻고자 하는 바를 스스로 성찰하는 소중한 시간이었습니다. 왜 이 목표를 선택했는지, 어떻게 실천할 것인지, 그리고 궁극적으로 무엇을 얻고 싶은지 깊이 고민하며 자신만의 챌린지를 만들어 갔습니다. 이 과정에서 얻은 깨달음은 챌린지 도중 어려움에 부딪힐 때마다 다시 일어설 힘을 주는 원동력이 되었습니다.

숭실100일성공3기 선포식 영상보기

챌린지 멤버들의 CTK 오피스 투어

이번 3기는 2024년 5월 17일에 CTK 오피스 투어를 통해 값진 경험을 얻었습니다. 실제 회사 운영을 배우고 실무자들과 직접 소통하며 현장감을 느낄 수 있었던 특별한 시간이었습니다.

CTK 오피스투어

4시간 동안 진행된 영업 및 마케팅 부서의 프레젠테이션은 발표자분들이 오픈 마인드로 뷰티 전문 기업 CTK의 실무 전반에 대한 상세한 설명을 해주셔서 실무 이해를 높이는 값진 시간이었습니다. 특히 환경친화적 화장품 용기 개발과정에서 사회적 책임 의식을 강조한 부분은 깊은 감명을 주었고, 인스타그램에서 많은 긍정적인 리뷰를 끌어냈습니다.

CTK 소개

이어 5개 조로 나뉘어 진행된 부서 투어에서는 영업, 마케팅, 법무, 제조, 디자인 등 다양한 부서를 방문하였습니다. 현업의 사무실 분위기와 일하는 모습을 볼 기회가 주어져서 기대와 긴장감이 있었습니다. 그런데 부서 팀장님들과의 편안한 분위기 속 질의응답을 주고받으면서 진짜 일을 하는 것이 이런 거라는 현업에 대한 깊이 있는 통찰을 얻는 소중한 시간이었습니다.

이후 이어진 입사 1년 차 이내 멘토들과의 팀별 대화 시간에는 멘토님들의 실제 직장 생활 경험담을 진솔하게 나누

CTK 부서 투어

며, 예비 직장인으로서 궁금했던 점들을 해소하고 현실적인 조언을 얻을 수 있었습니다.

멘토님들은 투어 일정을 준비하시면서 학생들에게 잊지 못할 투어를 선물하고자 고민하셨다고 합니다. 그래서 즉석에서 멤버의 이름을 아이브로우 펜슬에 새겨주셨습니다. 멘토님들의 따뜻한 마음과 세심한 배려에 진심으로 감동했습니다. 또한, 인사팀에서도 젊은 학생층인것을 고려하여 Doja Cat 화장품 세트를 준비해 주셨습니다. 와우~ 정말 즐거웠습니다.

CTK 오피스 투어를 한 후 회사에 대한 생각은 CTK는 브랜드, 제품 개발, 품질 관리, 생산, 배송, 유통, 마케팅 등 뷰티 분야의 모든 단계를 아우르는 솔루션을 제공하며 뷰티 트렌드를 선도하고 있다는 것입니다. 그리고 고객이 혁신적인 제품을 개발할 수 있도록 총체적 지원을 하는 뷰티 글로벌 기업이라는 것입니다. 투어를 마쳤을 때 결론적으로 이런 슬로건이 떠올랐습니다.

"Your partner in beauty innovation,
empowering your brand with cutting-edge
solutions to bring your vision to life."

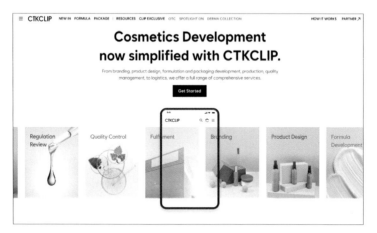

CTKClip: www.ctkclip.com

CTK 오피스투어를 마무리하며

이번 투어는 앞으로 나아갈 방향에 대한 확신과 용기를 얻는 소중한 시간이었습니다. 챌린지 멤버들에게 진한 감동과 소중한 경험을 인생의 선물로 주신 CTK 인사팀 이남수 상무님, 조영광 팀장님, 양희준 매니저님 그리고 임직원 여러분께 진심으로 감사를 드립니다.

선호표상체계(VAKD) 학습역량 강화 워크샵

챌린지 진행 중에 학습역량 강화를 주제로 워크샵을 대면으로 진행하였습니다. 워크샵 시작 전에 선호표상체계 VAK 진단을 통해 자신의 선호표상체계를 파악하는 시간을 가졌습니다. 자신의 선호표상체계를 이해하고 그것에 맞는 학습 방법으로 챌린지를 진행한다면 훨씬 더 효율적으로 실천할 수 있습니다. 챌린지의 실천 항목 대부분은 학습 역량 강화와 연관이 있습니다. 워크샵은 자연스럽게 챌린지의 실천 항목을 재점검하고 실행 방법을 자신에 맞추는 데 초점이 맞춰져 진행되었습니다.

선호표상체계(VAKD) 학습역량 강화 워크샵

숭실100일성공3기 챌린지 멤버의 인스타그램 계정

어려움을 극복하며 앞으로 나아갔던 35명의 100일의 여정을 보실 수 있습니다.

- 강예훈   hoon100days
- 구민정   @mj0207_100days
- 김규린   @100day_gyu
- 김민수   _challenge_100
- 김예은   yeeun_daily__100
- 김정심   white_simi0209
- 김정은   nchllioo
- 김정훈   Daily_jh_100
- 김희준   h22_june
- 때때   thae_wut_yi_soe
- 명재용   daily_deep_blue
- 배은진   freshmanej
- 서현진   @inchxxtx
- 성재영   fiat_lux01
- 신은재   eunjae_soongsil_100days
- 연은우   tryeon_0607
- 오유신   yusin_riskmgmt
- 원준원   every_wjw_days

- 유희라   huira_100days
- 이나현   @ssu10_0
- 이지현   daily_ljh_100
- 이하림   roterharim_100days
- 이한솔   ssol_51
- 임경우   imoccasion
- 전광렬   100__jeon
- 지혜선   @aesunny_100days
- 촐폰아이   100eunseol
- 최동주   dongju9166
- 최시온   @z.sion_100
- 최원혁   Book.nyeok
- 황명일   soongsil100_2nd_mih
- 황아리   @arihimedayo
- 토화이아잉   Annie_learningenglish
- 김영경   gimyk5104
- 이현주   soongsil100_2nd_hjlee

1장.
100일 챌린지, 새로운 삶의 시작

이현주

_____

챌린지

독서필사, 영어

100일 챌린지, 새로운 삶의 시작

100일 챌린지를 마치고 새로운 삶의 시작에 있다. 챌린지를 실천하는 것만큼 중요한 것이 챌린지를 마치고 나서의 시간이다.

우리가 설정한 목표를 달성하는 것은 분명 축하할 일이다. 그러나 그보다 중요한 것은 그 과정에서 배운 것들을 돌아보고 성찰하는 시간이다. 먼저 '1. 목표 달성 후의 성찰'을 통해 얻은 교훈과 통찰을 바탕으로 앞으로 나아갈 방향을 모색한다. 성찰은 과거의 실수를 반복하지 않기 위한 중요한 첫걸음이다. 다음으로 '2. 미래를 위한 계획 수립'이다. 목표를 달성한 후에도 우리는 멈추지 않고 계속해서 성장해 나가야 한다. 이를 위해 명확하고 구체적인 계획을 세우는 것은 필수적이다. 미래에 대한 비전을 구체화하고, 그 비전을 현실로 만들기 위한 전략을 마련하는 과정에서 우리는 더욱 단단해질 것이다. 이어서 '3. 실패 후 다시 시작할 때' 필요한 마음가짐과 전략을 제시한다. 실패는 우리에게 새로운 통찰과 성장의 기회를 제공한다. 마지막으로, '4. 지속 가능한 변화'를 만들기 위한 방법들을 다룬다. 작은 변화들이 모여 큰 변화를 이루며, 이를 통해 우리는 더 나은 자신을 만들어 갈 수 있다. 이제 새로운 삶의 시작을 위해 하나씩 살펴보자.

1. 목표 달성 후의 성찰

100일 챌린지 과정의 소중함과 성장

100일, 짧다면 짧고 길다면 긴 시간 동안 쉼 없이 달려온 여러분, 정말 수고 많았다. 목표를 향해 쏟아부은 열정과 노력에 진심으로 박수를 보낸다. 혹시 목표를 완벽하게 달성하지 못했다 하더라도, 절대 실망하지 말라. 여러분이 100일 동안 흘린 땀과 눈물, 그리고 끊임없이 자신과 싸워온 용기는 그 어떤 결과보다 값진 것이다.

나는 많은 사람과 100일 챌린지를 함께하며, 목표 달성 여부보다 더 중요한 사실을 깨달았다. 바로 '과정에서 얻은 경험과 깨달음'의 소중함이다. 100일 동안 여러분은 수많은 도전과 시행착오를 겪었을 것이다. 어떤 날은 의욕이 넘쳐 밤늦게까지 열정을 불태웠을 테고, 또 어떤 날은 지쳐 잠시 멈춰 서기도 했지만, 그 모든 과정은 여러분을 더욱 단단하게 만들고, 앞으로 나아갈 힘을 주었을 것이다.

목표 달성에 성공한 사람들의 공통점

100일의 도전에서 성공한 사람들의 주요한 공통점을 몇 가지 살펴보자.

- **뚜렷하고 구체적인 목표 설정**

  성공한 사람들은 단순히 '성공하고 싶다'라는 막연한 바람이 아닌, '한 달 안에 5kg 감량하기', '6개월 안에 새로운 외국어 회화 능력 초급 레벨 달성히기'처럼 구체적이고 측정 가능한 목표를 설정했다. 이러한 목표는 그들에게 명확한 방향성을 제시하고, 매일의 노력에 의미를 부여했다.

- **불굴의 의지와 끈기**

  목표를 향해 나아가는 과정은 결코 순탄하지 않다. 예상치 못한 장애물과 어려움이 끊임없이 나타난다. 하지만 성공한 사람들은 좌절하거나 포기하지 않았다.

그들은 어려움을 극복하기 위한 새로운 방법을 모색하고, 끊임없이 노력하며 끈기를 발휘했다. 마치 마라톤 선수가 42.195km를 완주하기 위해 묵묵히 한 걸음씩 내딛는 것처럼 말이다.

- **실패를 성장의 발판으로 삼는 마음가짐**

성공한 사람들은 실패를 두려워하지 않는다. 오히려 실패를 통해 배우고 성장하는 기회로 삼는다. 그들은 실패를 분석하고, 원인을 파악하며, 다음번에는 같은 실수를 반복하지 않도록 노력한다. 이러한 '성장 마인드셋'은 그들이 끊임없이 발전하고, 더 큰 목표를 향해 나아갈 수 있도록 돕는 원동력이 되었다.

- **든든한 지원군, 주변 사람들의 지지**

혼자서 모든 것을 해낼 수 있다고 믿는 사람은 없다. 성공한 사람들은 가족, 친구, 동료, 멘토 등 주변 사람들의 지지와 응원을 통해 힘을 얻었다. 그들은 어려움을 겪을 때 주변 사람들에게 도움을 요청하고, 함께 문제를 해결하며 성장해 나갔다. 때로는 경쟁자가 되기도 하지만, 서로에게 자극을 주고 격려하며 함께 성장하는 동반자 관계를 구축했다.

- **긍정적인 마음과 강한 자기 확신**

긍정적인 마음은 어려움을 극복하고 목표를 달성하는 데 중요한 역할을 한다. 성공한 사람들은 긍정적인 마음으로 어려움을 극복하고, 목표 달성에 대한 믿음을 잃지 않았다. 그들은 스스로를 믿고, 자신의 능력을 긍정적으로 평가했다. 이러한 긍정적인 마음과 강한 자기 확신은 그들이 어떤 어려움에도 굴하지 않고 끊임없이 앞으로 나아갈 수 있도록 돕는 든든한 버팀목이 되었다.

100일 챌린지 경험의 성찰

"여러분은 앞에서 성공한 사람들이 가진 특징 중 어떤 것을 가지고 있나요?" 100일 동안의 경험을 솔직하게 되돌아보는 시간은 앞으로 나아갈 방향을 정립하는 데 중요한 역할을 한다. 100일을 마치 후, 자기 성찰은 여러분을 더욱 단단하고 성숙하게 만든다. 그 과정에서 얻은 경험과 깨달음은 앞으로 여러분이 어떤 목표를 향해 나아갈 때 든든한 나침반이 되어줄 것이다.

칼 라거펠트의 도전 정신을 전하고 싶다. 세계적인 패션 브랜드 '샤넬'의 수석 디자이너였던 칼 라거펠트는 끊임없이 새로운 디자인을 선보이며 패션계의 트렌드를 이끌었다. 그는 항상 변화를 추구하고, 새로운 도전을 즐겼다. 샤넬의 전통을 유지하면서도 현대적인 감각을 더해 샤넬을 더욱 젊고 매력적인 브랜드로 만들었다.

그의 성공은 끊임없는 노력과 도전 정신, 그리고 변화를 두려워하지 않는 용기에서 비롯된 것이다. 칼 라거펠트처럼, 100일 챌린지를 통해 얻은 경험과 깨달음을 바탕으로 더욱 발전된 계획을 세우고, 끊임없이 도전하며 앞으로 나아가길 바란다.

2. 미래 계획 수립

성공적인 미래는 탄탄한 계획에서 시작된다.

막연한 꿈을 꾸는 것만으로는 충분하지 않다. 마치 밤하늘의 별을 바라보며 우주여행을 꿈꾸는 것처럼, 꿈은 우리에게 설렘과 동기를 부여하지만, 그것만으로는 목적지에 도달할수 없다. 꿈을 현실로 만들기 위해서는 구체적인 목표를 설정하고, 이를 달성하기 위한 단계별 계획을 세워야 한다.

계획은 꿈을 향해 나아가는 로드맵과 같다.

지도 없이 낯선 곳을 여행하는 것은 불안하고 위험할 수 있지만, 지도가 있다면 목적지를 향해 안전하고 효율적으로 이동할 수 있다. 마찬가지로, 인생이라는 여정에서도 계획은 우리에게 명확한 방향성을 제시하고, 예상치 못한 난관에 부딪혔을 때 길을 잃지 않도록 도와준다.

계획은 단순히 미래를 예측하는 것이 아니다.

계획은 우리의 꿈을 구체화하고, 목표를 달성하기 위한 행동 지침을 제공한다. 계획을 세우는 과정에서 우리는 자신의 강점과 약점을 파악하고, 필요한 자원과 시간을 고려하며, 현실적인 목표를 설정할 수 있다. 또한, 계획을 실행하는 과정에서 발생하는 예상치 못한 상황에 유연하게 대처하고, 끊임없이 자신을 발전시켜 나갈 수 있다.

계획을 잘 세웠다면 이미 반은 성공이다.

계획을 통해 얻는 이점은 잘 세워진 계획은 목표를 달성하기 위한 구체적인 단계와 방법을 제시하여 목표 달성 가능성을 높여준다는 것이다. 또한, 계획은 시간을 효율적으로 관리하고, 우선순위에 따라 업무를 처리할 수 있도록 도와준다. 계획은 미래에 대한 불확실성을 줄이고, 예상치 못한 상황에 대한 대비책을 마련하여 스트레스를 감소시켜 준다. 계획을 실행하고 목표를 달성하는 과정에서 성취감을 느끼고, 자신감을 얻을 수 있다. 주기적으로 계획을 점검하고 수정하면서 자신을 되돌아보고, 부족한 부분을 개선하며 성장할 수 있다.

100일 챌린지 경험을 통해 여러분은 이미 계획의 중요성을 깨달았을 것이다. 챌린지 기간 동안 세웠던 계획, 실천했던 노력, 그리고 겪었던 어려움과 성과들을 되돌아보며, 앞으로의 인생 계획을 세우는 데 필요한 통찰력을 얻기를 바란다.

구체적인 계획으로 목표를 향해 나아가는 리더들

페이스북의 전 COO인 셰릴 샌드버그는 젊은 시절부터 자신의 커리어 목표를 명확히 설정하고, 이를 달성하기 위한 계획을 세웠다. 하버드 대학교를 졸업한 후 세계은행에 입사하여 경제학자로 활동했고, 미국 재무부 장관 비서실장을 거쳐 구글 부사장으로 자리를 옮겼다. 끊임없이 배우고 성장하며 자신의 목표를 향해 나아간 결과, 페이스북 COO로서 전 세계 여성들에게 영감을 주었다. 현재 그녀는 메타의 COO

직에서 물러나 새로운 길을 모색 중이다.

미국의 유명 토크쇼 진행자 오프라 윈프리는 어린 시절 겪었던 힘든 경험을 극복하고, 자신의 꿈을 이루기 위한 끊임없는 노력을 통해 세계적인 방송인이 되었다. 그녀는 자신의 토크쇼를 통해 수많은 사람들에게 희망과 용기를 주었고, 다양한 사회 문제에 대한 관심을 불러일으키는 등 긍정적인 영향력을 행사하고 있다.

이러한 성공한 리더들의 이야기에서 알 수 있듯이, 꿈을 현실로 만들기 위해서는 구체적인 계획을 세우고 끊임없이 노력하는 것이 중요하다. 미래를 위한 계획을 세우고 이를 실천해 나가는 과정에서 여러분도 셰릴 샌드버그와 오프라 윈프리처럼 자신의 길을 개척해 나갈 수 있다.

100일 챌린지 경험을 미래 계획 수립에 활용하기

100일 챌린지를 통해 얻은 경험과 깨달음은 미래 계획을 수립하는 데 소중한 자산이 될 수 있다. 챌린지 기간 동안 어떤 점이 잘 되었고 어떤 점이 부족했는지, 어떤 점을 개선해야 할지 솔직하게 평가해 본다. 성공 경험은 자신감을 높이고, 실패 경험은 앞으로 나아갈 방향을 제시해 줄 것이다.

이제 다음 챌린지에는 이 다섯 가지를 반드시 적용해 보길 강력히 권한다.

- **SMART 목표 설정:** 구체적(Specific), 측정 가능(Measurable), 달성 가능(Achievable), 관련성 있는(Relevant), 시간 제한적인(Time-bound) 목표를 설정하라.

- **목표 세분화:** 큰 목표를 작고 관리할 수 있는 단계로 나누어 세부 목표를 설정하라. 세분화하는 과정에서 자기가 현실적으로 실행 가능한지 가늠이 된다.

- **마감일 설정:** 단계별 목표 달성 마감일을 정하고, 계획을 실행에 옮기라. 마감일이 없으면 목표가 달성 될 수 없다. 반드시 시작과 끝이 있어야 한다.

- **주기적인 점검 및 수정:** 계획을 실행하는 과정에서 발생하는 변수에 유연하게 대처하고, 필요에 따라 계획을 수정하라. 챌린지를 시작하고 실천이 버거울땐 주저하지 말고 수정을 해야한다. 한번 정한 목표가 반드시 정답은 아니다.

- **성공 경험 공유:** 목표를 달성했을 때 주변 사람들과 성공 경험을 공유하고, 서로 격려하며 함께 성장하라. 자신의 성공을 축하하는 경험도 다음 성공을 위한 도전에 힘이 된다.

3. 실패 후 다시 시작할 때

넘어짐은 다시 일어서기 위한 준비 동작

실패는 성공으로 가는 여정에서 누구나 마주칠 수 있는 자연스러운 과정이다. 마치 등산을 하다 보면 잠시 발을 헛디뎌 넘어질 수 있듯, 인생이라는 등산길에서도 잠시 주춤하거나 넘어질 수 있다. 중요한 것은 넘어졌다고 해서 포기하지 않고, 왜 넘어졌는지, 어떻게 다시 일어설 수 있을지 고민하며 배우고 성장하는 것이다. 실패는 우리를 더욱 강하게 만들고, 다음번에는 더욱 현명하게 도전할 수 있도록 돕는 소중한 경험이다.

실패를 디딤돌 삼아 성공을 향해 나아간 리더들

실패를 딛고 일어나 성공을 이룬 사람들의 이야기는 우리에게 용기와 희망을 준다. 미국의 유명 코미디언이자 배우인 짐 캐리는 무명 시절 생활고에 시달리며 수많은 오디션에서 낙방하는 고배를 마셨다. 하지만 그는 좌절하지 않고 자신의 꿈을 향해 끊임없이 노력했다. 그는 매일 자신에게 긍정적인 확언을 하고, 성공한 자신의 모습을 상상하며 끊임없이 자신을 다독였다. 결국 그는 코미디 무대에서 인정받고, 영화 배우로서도 큰 성공을 거두며 세계적인 스타가 되었다.

월트 디즈니 또한 수많은 실패를 겪었지만, 결코 포기하지 않았다. 그는 첫 번째 애니메이션 스튜디오를 파산으로 잃고, 미키 마우스 캐릭터의 판권을 빼앗기는 등 어려움을 겪었다. 하지만 그는 좌절하지 않고 새로운 스튜디오를 설립하고, 백설공주와 일곱 난쟁이, 피노키오 등 혁신적인 애니메이션을 제작하며 성공을 거두었다. 그의 끊임없는 노력과 창의적인 아이디어는 결국 디즈니랜드라는 세계적인 테마파크를 탄생시켰다.

챌린지 더 잘하기 위한 모색

100일 챌린지 과정에서 실패를 경험했다면, 먼저 실패의 원인을 객관적으로 분석하는 것이 중요하다. 실패의 원인은 다양할 수 있다. 목표 설정이 너무 높거나 비현실적이었을 수도 있고, 계획이 구체적이지 않거나 실행 가능성이 낮았을 수도 있다. 혹은 예상치 못한 외부 요인으로 인해 계획에 차질이 생겼을 수도 있다.

실패의 원인을 파악했다면, 이를 바탕으로 개선 방안을 모색해야 한다. 예를 들어, 목표 설정이 비현실적이었다면 목표를 수정하거나 세분화하고, 계획이 구체적이지 않았다면 더욱 상세하고 실행 가능한 계획을 세울 수 있다. 외부 요인으로 인해 실패했다면, 다음번에는 비슷한 상황에 대비할 수 있는 계획을 세우는 것이 중요하다.

- **챌린지 기록 분석**

  100일 동안의 챌린지 기록을 찬찬히 살펴보는 시간을 갖는 것은 의미가 있다. 챌린지 기간 동안 꾸준히 작성했던 일기, 인스타그램에 올렸던 인증 사진과 글, 그리고 함께 챌린지를 진행했던 사람들과 주고받았던 메시지 등을 다시 읽어본다.

  처음 챌린지를 시작했을 때의 설렘과 기대감, 중간에 찾아온 슬럼프와 좌절감, 그리고 챌린지를 완주했을 때의 성취감과 아쉬움 등 다양한 감정을 다시 느껴볼 수 있다. 어떤 요인이 성공과 실패에 영향을 미쳤는지 객관적으로 파악할 수 있다.

  예를 들어, 챌린지 초반에는 의욕이 넘쳐 매일 목표를 달성했지만, 중반 이후에는 지쳐서 포기하고 싶은 마음이 들었을 수도 있다. 혹은 주변 사람들의 응원과 격려가 큰 힘이 되어 챌린지를 완주할 수 있었을 수도 있다.

이렇게 챌린지 기록을 분석하면서, 자신에게 맞는 챌린지 방식, 효과적인 동기 부여 방법, 어려움을 극복하는 나만의 노하우 등을 발견할 수 있다. 이러한 깨달음은 다음 도전을 위한 소중한 자산이 된다.

• **주변 사람들과의 대화**

챌린지를 함께했거나 응원해준 사람들과 이야기를 나누는 시간은 실패를 극복하고 성장하는 데 큰 도움이 될 수 있다. 100일 동안 함께 땀 흘리며 챌린지를 함께한 동료라면 서로의 어려움과 고민을 누구보다 잘 이해할 수 있을 것이다.

실패 경험을 공유하고, 서로에게 격려와 지지를 보내며 함께 성장하는 경험은 앞으로 나아갈 힘을 줄 것이다. 챌린지를 응원해준 가족, 친구, 동료들은 객관적인 시각에서 당신의 챌린지 과정을 바라볼 수 있다. 그들은 당신이 미처 깨닫지 못했던 강점과 약점을 발견하고, 놓치고 있던 부분을 지적해 줄 수 있다.

또한, 당신의 노력을 칭찬하고 격려하며, 다시 도전할 수 있는 용기를 북돋아 줄 것이다. 100일 챌린지 이후에도 주변 사람들과 꾸준히 소통하며, 서로의 성장을 응원하는 관계를 유지하는 것이 중요하다.

- **전문가의 도움**

혼자서 실패 원인을 분석하고 개선 방안을 찾는 것이 어렵다면, 전문가의 도움을 받는 것도 좋은 방법이다. 100일 챌린지라는 특정한 목표를 가지고 노력했지만, 결과가 만족스럽지 못했을 때 객관적인 시각을 유지하기 어려울 수 있다. 이때 전문가의 도움은 객관적인 피드백을 통해 문제점을 명확히 파악하고, 효과적인 해결책을 찾는 데 도움을 줄 수 있다.

코치를 예로 들면, 챌린지 과정을 함께 되짚어보며, 당신의 강점과 약점을 분석하고, 목표 설정 및 계획 수립 과정에서의 문제점을 파악하여 개선 방향을 제시해 줄 수 있다. 전문가의 도움을 받는 것은 단순히 문제 해결을 넘어, 챌린지 경험을 통해 자신을 더 깊이 이

해하고 자신의 잠재력을 발견하여 다음 도전을 준비할
수 있다.

- **새로운 시각에서 접근**

  실패한 경험을 새로운 시각에서 바라보는 것은 문제
  해결의 실마리를 찾는 데 도움이 된다. 예를 들어, 실
  패를 통해 얻은 교훈을 바탕으로 새로운 목표를 설정
  하거나, 챌린지 방식을 변경하여 다시 도전해 볼 수
  있다. 실패를 성장의 기회로 삼고, 긍정적인 마음으로
  새로운 시도를 하는 것은 삶의 중요한 변곡점을 만들
  어 낼 수 있다.

우리는 모두 인생에서 중요한 변곡점을 맞이한다. 졸업,
취업, 결혼, 출산, 퇴직 등 다양한 변화를 겪으며 삶의 방향
을 수정하고, 새로운 목표를 설정해야 할 때가 있다. 때로는
예상치 못한 어려움에 부딪히고, 좌절감을 느낄 수도 있다.
넘어짐은 다시 일어서기 위한 준비 동작이다. 실패는 성공으
로 가는 여정에서 필연적으로 마주할 수 있는 자연스러운
과정이다. 중요한 것은 실패를 딛고 일어서는 것이다.

4. 지속 가능한 변화 만들기

긍정적인 습관 형성, 삶의 변화의 시작

100일 동안 꾸준히 실천해 온 습관은 이미 삶의 일부가 되었을 것이다. 작은 성공 경험을 반복하면 자연스럽게 긍정적인 습관이 형성된다. 이러한 긍정적인 습관은 단순히 특정 행동을 반복하는 것을 넘어, 삶 전체를 긍정적으로 변화시키는 밑거름이 된다. 긍정적인 습관은 삶의 만족도를 높이고, 스트레스를 줄이며, 더욱 건강하고 행복한 삶을 살아갈 수 있도록 돕는다.

작은 성공 경험, 자신감의 씨앗

작은 목표를 달성하며 성취감을 느낀 경험은 "나도 할 수 있다"라는 자신감을 심어준다. 100일 동안 꾸준히 노력하며 목표를 달성한 경험은 스스로에 대한 믿음을 키우고, 더 큰 목표에 도전할 용기를 북돋아 준다. 작은 성공은 실패에 대한 두려움을 극복하고, 어려움에 맞서 싸울 힘을 준다.

성장 마인드셋, 끊임없는 발전의 원동력

작은 성공 경험은 "나는 성장할 수 있다"라는 믿음을 갖게 한다. 100일 챌린지를 통해 얻은 경험은 스스로 잠재력을 발견하고, 끊임없이 배우고 발전하며 더 나은 자신을 만들어 갈 수 있다는 확신을 심어주었을 것이다. 이러한 성장 마인드셋은 실패를 두려워하지 않고, 오히려 실패를 통해 배우고 성장하는 기회로 삼도록 돕는다. 끊임없이 배우고 발전하는 자세는 삶의 다양한 영역에서 성공을 끌어내는 중요한 요소이다.

끊임없는 도전으로 성공을 이끄는 리더들

한 번의 성공에 만족하지 않고, 지속적인 도전과 혁신을 통해 위대한 성과를 이룬 리더들의 이야기이다.

스타벅스 회장 하워드 슐츠는 스타벅스에 입사하기 전, 작은 커피기구 제조업체에서 일하며 커피 산업에 대한 이해를 쌓았다. 이후 그는 스타벅스의 잠재력을 발견하고, CEO로 취임하여 스타벅스를 전 세계적인 브랜드로 성장시켰다. 초기에는 많은 어려움이 있었지만, 끊임없는 도전과 혁신을 통해 성공을 거두었다.

스페이스X 창업자인 일론 머스크는 스페이스X를 창업하면서 우주 탐사에 대한 큰 꿈을 가지고 있었다. 초기에는 여러 차례의 로켓 발사 실패를 겪었지만, 그는 포기하지 않고 지속적으로 개선해 나갔다. 결국 스페이스X는 성공적인 재사용 로켓 발사에 성공하며, 민간 우주 탐사의 선두주자로 자리매김했다. 머스크의 끊임없는 도전 정신과 혁신적인 아이디어는 우주 산업에 큰 변화를 가져왔다.

100일 챌린지는 끝이 아니라 새로운 시작이다.

100일 챌린지는 삶의 루틴을 재정립하고, 목표를 향해 나아갈 자신감을 얻는 중요한 시작점이었다. 이제 챌린지 동안 형성된 긍정적인 습관을 지속하며 하루를 더욱 생산적으로 만들 수 있다. 100일 챌린지에서 얻은 자신감과 성취감은 더 큰 목표를 향해 나아가는 든든한 성공 자원이 되었다. 작은 성공 경험들이 쌓여 삶 전체를 변화시키는 강력한 힘을 발휘한다. 100일 챌린지는 끝이 아니라 새로운 시작이다. 이제 여러분은 새로운 시작을 위한 준비를 마쳤다.

"변화와 성장을 위해 도전하는 모두를 응원합니다."

2장.
어제보다 부지런한 나와의 만남

황명일

————

챌린지

불필요한 유튜브 시청 1일 1시간으로 제한
「뜨겁게 나를 응원한다」 필사

어제보다 부지런한 나와의 만남

1. 새로운 루틴

아침 5시 40분 경 알람 없이 기상, 화장실 다녀와서 「뜨겁게 나를 응원한다」의 'Day 100. 내 삶을 진정 사랑하는가'를 필사하고 내 생각을 함께 적는다. 잠시 후 엄마가 방에서 나오시고, 나는 엄마와 함께 300ml 온냉탕(끓인물 200ml + 냉수100ml)을 마시고, 비타민을 탄 물 200ml를 마신다. 엄마는 엄마의 운동을 30분간 하시고, 나는 또 내가 좋아하는 홈트레이닝을 1시간가량 한다. 그 사이 사이 아침식사를 준비한다. 운동을 마치고나서 아침을 먹는다.

오늘은 숭실100일성공3기로서 챌린지에 참여한 100일째 되는 날이다. 오늘로서 100일을 완성하게 된다. 벌써 다음 챌린지는 무엇으로 할지 머릿속에 떠올린다. 다음 챌린지가 기대된다.

이런 아침 루틴을 가지기까지 여러 시도와 시행착오를 거쳐 왔다. 지금은 너무나 상쾌하고 기분 좋은 아침을 맞이하고 있지만, 얼마 전까지 나는 아침에 일어나는 순간부터 속상하고 나에게 화가 난 채로 하루를 시작했었다. 아침마다 늦잠을 자거나, 개운하지 못한 컨디션으로 겨우 일어나기 일쑤였다. 또 겨우 일어나서 부엌으로 가면 연로하신 엄마가 아침을 차리고 계신 모습을 보고 죄송함과 속상함에 굳은 표정으로 하루를 시작했었다.

그랬던 내가 불과 몇 달 만에 완전히 바뀐 것이다. 내 주변의 누구도 예상하거나 기대하지 못했던 내 모습에 가족들과 지인들은 신기해한다. 나조차도 생각지 못한 내 변화의 시작은 바로 숭실100일성공2기에 참여한 이후 부터였다.

20대, 30대, 그리고 40대를 지나오면서 나는 내가 야행성이라고 생각했다. 때문에 절대로 아침형 인간은 될 수 없다고 생각했다. 그러나 숭실100일성공2기를 거쳐 성공3기를 실천하는 동안 나는 아침형 인간이 되었다. 혹자들은 이미 아침형 인간으로 살고 있는 사람들도 많이 있는데 그게 무슨 대단한 성과냐고 되물을 수도 있다. 하지만 그렇게 바라본다면 우리가 성취하는 대부분이 하찮을 수밖에 없다. 다른 사람들이 이미 이루고 있더라도 나에게 있어서 새로운 변화이고 발전이라면 그것을 나는 자축하고 싶은 것이다. 무엇보다 기존에 내가 가졌던 오래된 습관을 불과 몇 개월 만에 바꿨기 때문에 그렇다면 무엇이든 내가 마음만 먹으면 할 수 있을 것이라는 자신감이 생겼다.

이제 새로운 나를 만날 수 있었던 나의 챌린지 과정을 과거의 나처럼 아침에 일찍 일어나지 못하는 사람들과 공유하고 싶다.

2. 두 개의 실천 목표 (더하고, 빼고)

숭실100일성공3기에서 나는 2개의 실천 목표를 세웠다. 첫 번째 목표는 '불필요한 유튜브 시청 1일 1시간으로 제한'이고, 두 번째 목표는 조성희 작가의 「뜨겁게 나를 응원한다」 책을 필사하는 것이다.

나는 성공2기를 통해 밤10시부터 아침7시까지 유튜브 시청을 안 하게 되었다. 성공2기를 끝내고 쓴 글에서 다음 챌린지에서는 낮 시간에도 유튜브 시청을 줄이겠다고 썼고, 그것은 나 자신과의 약속이었다. 나는 그 약속을 지키기 위해 '불필요한 유튜브 시청 1일 1시간으로 제한'이라는 목표를 세웠다. 사실 1시간도 우리의 하루일과에서 작은 시간은 아니다. 다만, 그동안 나의 무질서했던 유튜브 시청 행태를 제한하는 기준점으로 1시간을 정했고, 여기서부터 줄어나가기로 했다.

첫 번째 목표는 시급히 바꿔야 할 나의 중독 문제를 고치는 것이라면, 두 번째 목표는 내가 앞으로 계속해서 실천해야 할 좋은 습관으로 책 필사를 선택했다. 이전에 숭실100일성공2기를 진행하면서 다른 동료들이 필사 하는 것을 보고 나는 필사를 해본 경험이 없다고 생각했었다.

그런데, 어느 날 책장에서 예전에 쓰던 작은 메모장을 발견했다. 메모장을 열어보고 깜짝 놀랐다. 거기에는 내가 어떤 책을 읽고 그 책의 중요한 부분과 내 생각을 정리해 놓은 내용이 빼곡하게 적혀 있었기 때문이다. 말 그대로 내가 과거에 필사를 했었던 것이다. 그래서 기억을 되짚어보니 아주 예전에 내가 데일카네기의 '행복론'을 읽고 마음에 드는 문구를 적어놓은 것이었다. 까맣게 잊고 있었다. 다시금 내가 살아온 모습에 회의가 느껴졌다.

직장을 다니다가 다시 대학원을 가고, 새로운 일에 도전하면서 직장에서 하는 일이 내 삶의 중심이 되었다. 매일 매일이 회사 일의 연속이었고, 또 그 일을 해내면서 성취감도 컸다. 하지만 '일하는 나'만 남고, '일 외의 나'는 기억 저편으로 잊은 채 살아온 것이다. 이 일이 있고 나서 또 한 가지가 생각났다.

한참 전에 이현주 교수님이 나에게 책을 한 권 추천하셨고, 나는 교수님이 추천하신 책을 바로 구매했다. 그 책은 바로 조성희 작가의 '뜨겁게 나를 응원한다'라는 필사용 책이었다. 사실 그때 나는 어떤 책인지도 모르고 구매부터 했었다.

책을 구매한 후 필사를 하면 좋겠다는 생각에 내가 가지고 있는 노트에 필사를 시작했다. 그러나 한 일주일이나 했었나 싶다. 작심 5일 정도로 내 결심은 무너졌다. 그리고 '뜨겁게 나를 응원한다' 책은 책장 한 귀퉁이에 들어가 자리잡고 있게 되었다. 그러던 중 숭실100일성공3기를 기회로 나는 다시 한번 '뜨겁게 나를 응원한다'를 필사하기로 마음먹었다. 이렇게 두 번째 목표가 정해졌다.

3. 실천을 도와주는 도구 활용

숭실100일성공3기 선포식에서 실천항목에 대해서 소개할 때 인증 방법으로 '뜨겁게 나를 응원한다' 책 필사 후 필사 내용을 사진 촬영하여 매일 인스타그램에 올리기로 했고, '불필요한 유튜브 시청 1일 1시간으로 제한'은 매일 실천하고 결과를 V체크한 후, 한주 단위로 캡처해서 인스타그램에 올리기로 했다.

성공3기가 시작되 하루하루 실천과 인증을 하는데 뭔가 어색하고 불편하게 느껴졌다. 필사에 대해서는 실천과 인증에 어려움이 없었다. 하지만 유튜브 시청 제한에 대해서는 뭔가 실천을 하는 것도 인증하는 것도 어색하게 느껴졌다. 유튜브를 보기 전에 시간을 체크하고, 유튜브 창을 닫고 나서 얼마나 시간이 지났는지를 확인했다. '10분 지났네.'라고 생각하고 한참 후에 다시 유튜브를 보고 '15분 지났네.'라고 생각하면서 '총 25분 봤으니까 아직 35분 더 볼 수 있겠다.'라고 생각했다. 그리고 또 생활하다가 유튜브를 보게 되면 시청한 시간을 이전에 시청한 시간에 누적하고, 하루 총 시청시간을 계산하면서 1일 1시간 이내로 유튜브를 시청했다. 그리고 나서 휴대폰 앱에 V체크를 했다. 우선 이 방식으로 인증을 하려다보니 머릿속에 오히려 유튜브 시청을 계속해서 생각하고 있는 모양새였다. 유튜브 시청을 안 하기 위해서 챌린지 목표로 삼았는데, 1시간 사용 제한을 체크하려다보니 오히려 유튜브 시청을 계속해서 신경 쓰고 있었던 것이다. 또한, 일주일 단위로 인증을 올리기로 한 것도 맞지 않아 보였다.

매일 매일 실천하는데 일주일간 V체크 한 것을 한 번에 캡쳐해서 올린다는 게 인증을 게을리하는 것 같았다. 방법을 바꿔야겠다고 생각하면서도 첨엔 어떻게 인증할지 좋은 생각이 떠오르지 않았다.

그러다가 운동이나 독서와 같은 실천을 할 때 얼마나 오랜 시간동안 했는지 확인하는 용도로 스톱워치를 사용하는 것이 생각났다. 시간을 정확하게 측정하는 게 필요할 것 같았다. 하지만 운동이나 독서와 같이 실천을 많이 하면 할수록 좋은 것은 스톱워치로 측정해도 얼마든지 편하게 할 수 있다. 내 경우는 스톱워치를 사용하다가 자칫 제한시간을 넘기게 될 수도 있을 것 같았다. 그래서 사용하게 된 게 휴대폰 시계의 타이머 기능이었다.

며칠간 타이머기능을 이용하고 나서 나는 마음속으로 '유레카'를 외쳤다. 1시간 타이머를 세팅해놓고, 유튜브를 시청하기 바로 전에 타이머를 작동하고, 시청을 완료하면 다시 타이머를 정지시키는 것을 반복했다.

'유튜브 시청 1일 1시간으로 제한' 인스타그램 인증

그러자 신기한 일이 일어났다. 타이머를 사용하고부터는 유튜브 시청에 대한 유혹이 급격히 줄어들었다. 내 휴대폰 창에는 계속해서 1시간이 표시된 타이머가 떠있었다. 나는 휴대폰 창에 1시간 타이머가 표시된 채로 하루를 보내게 되었다. 즉, 하루 종일 유튜브를 전혀 안보고 생활하게 된 것이었다. 오히려 내가 유튜브를 봤는지 안 봤는지 조차 잊어버리고 생활하게 되었다. 그러면서도 매일 1시간이 표시된 타이머를 캡처해서 '불필요한 유튜브 시청 1일 1시간으로 제한'을 실천하는 것에 대해 정확하게 인증하게 되었다.

타이머라는 도구를 활용하면서 더 정확한 실천 관리가 가능해졌다. 유튜브를 잠시 시청하게 되어도 시청한 시간을 타이머를 통해 정확하게 기록할 수 있고, 누적 관리가 가능해서 내 머릿속에서는 더 이상 얼마나 유튜브를 봤는지에 대해서 신경 쓸 필요가 없게 되었다. 시간이 가면 갈수록 오히려 유튜브 시청에 대한 유혹을 완전히 잊어버릴 수 있게 되었다.

4. 내 안의 고정관념 버리기

글을 쓰는 것은 왠지 몇몇 사람의 특별한 행동으로 생각되었다. IT컨설팅 일을 하다보면 회의록, 보고서, 제안서, 공문 등의 다양한 문서를 작성하게 된다. 하지만 그렇게 쓰는 글은 왠지 일상에서 쓰는 글과 차별적으로 느껴졌다. '글을 쓴다!'기 보다는 '일을 한다!'는 생각뿐이었다. 내 생각을 쓰는 글은 편지나 긴 문자 정도인데 정말 너무 가끔 쓰다 보니 글 쓰는 것을 잊은 지 오래되었다. 지난번 숭실100일성공2기 챌린지 후기를 쓴 것도 나에게는 대단한 일이었다.

필사를 하게 되면서 첨엔 책에 있는 내용과 함께 내 생각을 간단하게 글로 덧붙여서 썼다. 필사를 하는 일이 마치 일기를 쓰는 느낌이었다. 그러다 보니 자연스럽게 하루 일과가 끝나는 밤 시간에 잠들기 직전에 필사를 했다. 어떤 날은 필사를 해야 하는데 잠이 쏟아졌다. 감기는 눈을 비비면서 겨우겨우 필사를 하고 잠을 잤다. 이런 일이 몇 번 반복되니 '필사를 못하고 잠들면 안 되는데...' 라는 두려움이 생겼다.

그러다가 '왜 필사를 밤에 하려는 거지?' 라는 생각이 들었다. 숭실100일성공2기 챌린지 실천 이후 계속해서 나는 아침 일찍 일어나고 있다. 어느 날은 새벽 4시30에 또 어느 날은 5시 30분에 일어났다. 늦어도 6시 30분 전에 항상 일어났다. 필사를 하는 시간은 길어야 20분 가량 이다. 매일 아침 얼마든지 필사를 할 수 있는 여유시간이 있는 것이었다.

그래서 나는 아침에 필사를 하고 바로 인증을 하는 것으로 내 나름의 생활 규칙을 정했다. 그 후 나는 아침에 일어나 필사를 하면서 하루를 시작했다. 한편으로는 숙제를 일찌 감치 끝낸 사람처럼 매일 아침 가벼운 마음으로 필사를 할 수 있었다. 또한, '뜨겁게 나를 응원한다'의 좋은 글을 아침 부터 마음에 새기면서 하루를 활기차게 시작 할 수 있어서 일석이조였다.

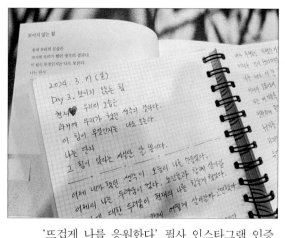

'뜨겁게 나를 응원한다' 필사 인스타그램 인증

사정상 아침에 필사를 하지 못한 날에도 그렇게 마음 불 편하진 않았다. 왜냐면 아직 하루가 다 지나지 않았기 때문 에 얼마든지 필사를 할 수 있는 시간적 여유가 있었기 때문 이다.

5. 실천 자신감 '뿜뿜'

숭실100일성공2기에서 실제 하나의 목표를 세웠지만, 목표를 더 잘 실천하기 위해 도움이 되는 몇 가지를 추가로 실천했었다. 추가적인 목표를 설정할 때 첨엔 실천이 부담되지 않게 소심하게 목표를 세웠던 것 같다. 그 중 한가지로 커피를 줄여야겠다고 생각하면서도 전혀 안 마시는 건 지키지 못할 것 같아 '하루 1잔 마시기'로 정했다.

목표를 이렇게 정하면 초기에는 목표를 의식하면서 1잔을 꼭 마시게 된다. 하지만 커피를 줄이고 나서 잠이 잘 오는 것을 느끼게 되자 1잔조차 마실 필요가 없었다. 굳이 허용해놓은 커피1잔을 마셔서 잠을 방해하고 싶지 않았다. 물론 잠을 잘 이루게 된 게 커피만의 문제는 아니라고 생각되지만, 어쨌든 허용한 그 한잔도 챌린지를 시작한지 오래되지 않아 마실 필요가 없어졌고, 그 후부터 지금까지 나는 커피를 전혀 마시지 않고 생활하고 있다.

또 다른 추가적인 실천으로는 아침에 늦잠 자는 게 습관이어서 아침 8시 전에 기상하기가 힘들 정도였다. 그래서 '8시 전에 일어나기'를 함께 실천하기로 했다. 최근에는 새벽

4시 30분에서 6시 30분 사이에 대부분 기상하고 있지만, 아직도 나는 '아침 8시 전에 기상하기'라는 실천 목표를 그대로 두고 실천하고 있다. 8시를 굳이 7시로 또는 6시로 바꾸는 건 내 실천에 전혀 영향을 주지 않는다고 느꼈기 때문이다.

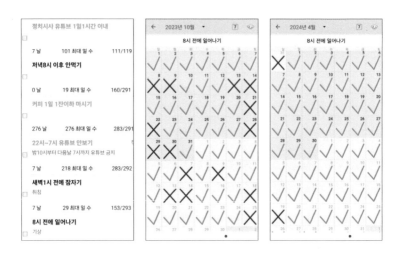

나의 실천 목록 일부와 '8시 이전에 일어나기' 실천의 변화

이 외에도 나는 나쁜 습관을 없애고, 좋은 습관을 만들기 위해 여러 가지 목표를 세워서 실천을 하고 있다. '쓸데없는 전화통화 줄이기', '밤 8시 이후에 먹지 않기', '하루 30분 홈트레이닝 하기', '새벽 1시 전에 잠자기'와 같이 내가 지

향하는 생활 패턴으로 실천 목표를 만들었다.

매일 모든 것을 실천하지는 못하지만 최대한 내 행동의 기준으로 삼고 있다. 이 외에도 나는 고치고 싶은 나쁜 습관이 확인 되면, 실천 목록에 추가하고 바로 실천하는 것으로 나를 개선하기 위해 노력할 생각이다.

6. 오랜 실랑이의 끝

나는 30년 이상 직장생활을 해왔다. 내가 처음 직장생활을 하게 된 것은 아마도 1991년 여름쯤이었을 것이다. 강산이 3번 변하고 4번째 변하는 오랜 시간을 나는 직장인으로 살았다. 그러다보니 나에게서 일이란 회사에서 하는 일이 다였다. 물론 집안일도 했지만, 역할 분담이 되어 있었다. 특히 주방은 엄마의 영역이었기 때문에 침범할 수 없었다.

엄마와 평생 함께 살면서 엄마가 해주시는 밥을 먹고 출근하고, 엄마가 해주시는 저녁을 먹고 잠이 들었다. 친정엄마는 유난히도 부지런하신 분이다. 1941년 생이셔서 올해 한국나이로 84세신데, 보통 베테랑 주부였던 분도 70세가 넘어가면 음식하시는 게 싫어진다고 하는데, 우리엄마는 그분들과 완전히 달랐다. 지금까지도 직접 음식을 해서 자식들을 먹이고, 이웃과 나눠 먹는 것을 너무 좋아하신다. 하지만 이런 엄마의 마음과 달리 엄마의 몸은 잠시 서계시기도 힘든 상태가 되었다. 그리고 엄마와 나의 갈등이 시작되었다.

엄마가 힘드신걸 알면서도 나는 아침에 일찍 눈이 떠지지 않았다. 또한 직업특성상 야근이 많았던 나는 회사일도 줄일 수가 없는 상황이라 늦게 와서 새벽에 잠이 들면 아침에 알람 없이는 8시고 9시고 일어날 수가 없었다.

아침에 억지로 눈을 뜨면 부엌에서 들려오는 아침밥 차리는 소리를 듣고 속이 상했다. 밖으로 나와서 엄마에게 "나를 깨우지, 다리 아픈데..."라고 하면, 엄마는 "자는데 뭘 깨우냐. 내가 차리면 되지. 어서 와서 아침 먹어라."라고 하신다. 연로하신 엄마가 차려주는 아침밥이 모레처럼 느껴졌다.

그런데도 나는 아침에 일어날 수 없는 나를 어떻게 할 수가 없었다. 그러다 엄마가 발이 너무 아파 앓는 소리라도 하게 되면 나는 속상한 마음에 "엄마 아무것도 하지 마시고 그냥 두시라니까! 자꾸 일하시고 아프다고 하면 어떻게 해!"라며 엄마에게 화를 냈다.

그러면 엄마도 화가 나셔서 "놔두라고 하면서, 너는 하지도 않고 뭘 놔두냐!"라고 맞받아치셨다. 그러면 나는 "그것 좀 천천히 한다고 무슨 사단이라도 나!", "내가 놀다 왔어!

나도 일하고 와서 좀 쉬었다 하면 되는데 뭐가 그리 급해! 왜 아프다고 하면서 자꾸 집안일을 하는 거야!"라고 하면, 엄마는 "아프다고 안할 테니 나한테 신경 쓰지 마!"라고 하시고는 방으로 들어가 버린다. 이런 실랑이는 아버지 제삿날이나 추석날, 설날이 가까워지면 더 심해졌다.

이런 갈등을 해결하기 위해서는 내가 엄마보다 부지런해져야 했다. 하지만 아침에 눈을 뜨면서부터 나는 엄마의 뒤를 입으로만 쫓는 처지였고, 행동으로는 전혀 엄마를 따라가지 못했다.

그랬던 우리 모녀는 요즘 평화롭게 지내고 있다. 숭실100일성공2기 실천 이후로 나는 줄곧 아침에 일찍 일어나 아침밥을 차리고 있다. 내가 일어나 부엌에서 이것저것 하고 있으면 엄마가 방에서 나오신다. 가끔은 엄마가 식탁에 앉아서 된장찌개는 이렇게, 나물무침은 저렇게 등등 나에게 엄마만의 요리법을 전수해 주신다.

사람의 마음과 몸은 하나인 듯 각각이다. 내 마음으로는 엄마를 편하게 해드리고 싶었다. 내가 좀 더 부지런 해야지라고 생각했지만, 정말 어디서부터 시작해야 할지 몰라 방황하고 갈등했던 시간들이었다. 만약 숭실100일성공 챌린지에 참여하지 않았다면 어땠을까? 언젠가는 내가 원하는 모습을 찾았을 수도 있겠지만, 그 사이 또 얼마나 오랜 시간을 엄마와 갈등하면서 보냈을지 생각하면 끔찍하다. 숭실100일성공 챌린지는 단순히 나의 습관 하나를 바꾸는 기회이지만, 그 결과는 나와 엄마 사이의 평화를 지키게 해줬다.

7. 본(木)보기가 되자

나는 숭실100일성공 챌린지를 통해 가장 고치고 싶은 습관인 유튜브 중독에서 벗어났다. 내가 한참 개발자로 프로그래밍을 할 때였다. 어떤 기능을 개발하기 위해 코딩을 하고 테스트를 하면 절대로 한 번에 오류 없이 성공하진 않는다.

어디에서든 꼭 에러가 표시된다. 처음엔 에러가 30개~50개 이상이 될 때가 있다. 그러다가 디버깅을 하면서 한 개의 코드를 수정하는 순간 에러의 숫자가 2개 또는 3개로 확 줄어드는 경우가 있다. 그런 경우 우리는 문제의 핵심 원인(root cause)을 해결한 셈이 된다.

나에게 유튜브 중독은 많은 문제의 해결을 막고 있는 핵심 원인(root cause) 이었다. 여러 가지 현실적 문제를 회피하기 위해서 유튜브로 빠져들었고, 유튜브를 보면서 많은 시간을 낭비하는 동안 문제가 더 커지고, 많아지는 상황이 되었을 것이다. 유튜브 중독에서 빠져나오자 우선 시간을 많이 가질 수 있게 되었다. 그 시간을 이용해서 운동과 집안일을 할 수 있게 되었다.

나는 2023년 9월 숭실100일성공2기를 시작할 무렵에 비해 현재 2024년 7월 초 3~4kg의 몸무게가 줄었다. 2021년 부터 헬스장을 다녔고, 개인 PT를 받으며 건강관리를 했지만, 살이 빠지거나 운동 효과는 거의 볼 수 없었다. 그러던 중 왼쪽 어깨가 아파서 운동을 중단했다. 숭실100일성공2기 동안에는 헬스장 회원권이 남아 있어서, 헬스장에 가서 다시 운동을 시작했다. 하지만, 내 환경과 맞추기가 어려웠다.

아침에 운동을 하러 가면 아침식사를 준비 할 수가 없었기 때문이다. 나는 다른 방법을 생각해야 했다. 그래서 시작한 것이 장소와 시간을 신경 쓸 필요 없는 홈트레이닝이었다. 나는 운동을 하면서도 틈틈이 집안일을 할 수 있었다. 매일 하지 못하더라도 꾸준히 운동을 하니, 효과가 나타났다.

나의 변화를 보고 엄마도 집에서 운동을 하시기 시작했다.

내가 하듯이 아침에 일어나서 온냉탕을 드시게 되었다. 사실 내가 예전에 엄마에게 함께 온냉탕과 비타민을 마시는 것을 권했지만 엄마는 싫다고 하셨다. 그런데, 어느 순간부터 엄마가 나와 함께 건강관리를 하시게 되었고, 엄마를 본(本)보고 근처에 살고 있는 언니도 아침에 온냉탕을 마신다고 했다. 언니도 온냉탕을 마신 이후 배변활동이 좋아졌다고 얘기 했다.

매일 아침 엄마와 함께 마시는 온냉탕

내가 엄마에게 '엄마 운동 하세요. 그래야 건강해져요.'라고 엄마에게 말로 운동하기를 강요했다면, 엄마는 분명 거부했을 것이다. 비슷한 경험이 기억에 선명하다. 하지만, 내가 행동으로 내 건강을 관리하자 그것을 지켜보던 엄마가 스스로 나와 함께 행동을 하시는 것이다.

아무리 옳고 좋은 말이라도 말로는 누군가를 변화시키기 어렵다. 가벼운 말과는 비할 수 없는 꾸준한 실천이 가지는 힘을 느낄 수 있었다.

8. 또 다시 책을 내며

숭실100일성공2기와 연속해서 3기에 책을 내게 되었다. 정확하게는 책을 낼 수 있는 기회를 다시 얻었다. 또다시 기회가 된다면 다음 챌린지를 하고나서도 책을 낼 수 있기를 바란다. 챌린지를 수행하는 것도 보람되지만, 이렇게 후기를 바로 책으로 낼 수 있고, 여러 사람들과 공유 할 수 있다는 것은 정말 행운이라 생각된다. 이 부분에 대해서 이현주 교수님께 다시 한번 감사드린다.

챌린지를 통해서 나는 내가 원하는 나를 만드는 법을 익

혀가고 있다. 그 과정에서 무리를 한다거나 스트레스를 받은 적은 없다. 내가 할 수 있을 것으로 예상되는 범위에서 실천 목표를 잡았고, 목표한 바를 이루고 있다. 그런 면에서 보면 나는 무리하게 목표를 잡지 않고 안전한 목표로만 챌린지를 하는 것 일 수도 있다. 하지만 우리는 일상에서 챌린지만 하고 있는 것이 아니다. 이미 우리가 속한 곳에서 해야 할 것들이 있기 때문에 챌린지를 하는 것이 결코 그 일에 방해가 되어서는 안 된다. 무리한 챌린지 목표는 본말이 전도 되는 것이기 때문이다.

우리의 일상을 잘 해나가면서 챌린지를 효과적으로 수행하기 위해서 나는 절대로 무리 하고 싶지 않다. 바로 이점을 챌린지를 주저 하는 사람들에게 꼭 얘기해주고 싶다. 본인이 할 수 있는 범위로 챌린지 목표를 세우고, 실천해 보고 또 거기서 조금씩 발전시켜 간다면 자신도 모르는 사이에 많은 것을 이루어 내고 있을 것이다.

한 가지 더 공유하고 싶은 것은 챌린지의 목표를 실천의 결과로 잡는 것을 지양하길 바란다. 물론 성향에 따라 다를 수도 있지만, 가능한 챌린지의 목표를 실천의 과정으로 하길 바란다. 그래서 실천 내용이 100일 후에는 습관이 되길 바란다. 아마도 챌린지에 참여하는 대부분의 사람들이 실천의 과정을 목표로 삼고 있을 테지만, 경우에 따라서 특정 결과를 목표로 삼게 되는 경우가 있다. '매일 30분씩 운동'은 '실천의 과정적 목표'이고, '몸무게 3kg 감량'은 '실천의 결과적 목표'인 것이다. 100일간 매일 30분간 운동을 하게 되면 몸무게가 줄어들지, 늘어날지 알 수 없다. 그러나 100일이 지났을 때 나는 매일 30분간 운동하는 습관을 가진 사람이 되어 있을 것이다. 이 습관으로 인해 나는 계속해서 건강을 관리 하는 능력을 가지게 되는 것이다.

우리가 무엇인가를 할 때 이미 그것을 경험해본 사람들은 그것이 대수롭지 않게 보일 수 있지만, 한 번도 해보지 않은 사람에게는 어디서부터 무엇을 어떻게 해야 할지 도무지 알 수가 없을 것이다. 수영을 해보지 않은 사람에게 수영은 그저 두렵기만 할 것이고, 요리를 많이 해보지 않았던 나와 같은 사람에게 요리는 세상 무엇보다 힘들게 느껴질 것이다.

마찬가지로 책을 한 번도 만들어 본 적이 없는 내가 혼자서 글을 쓰고 책을 만들고 출판을 하는 것은 너무나 어려운 것이다. 그런 나에게 지난번 책을 만드는 과정은 너무나 흥미롭고 즐거웠다.

그리고 다시 한 번 더 책을 내게 된다면, 나는 점점 책을 만들 수 있는 능력을 가지게 될 것이다. 알음알음 알게 되는 출판의 노하우로 언젠가는 나만의 책을 만들 수도 있길 바란다. 내 생각을 글로 표현 할 수 있다는 것은 정말 멋진 일이다.

3장.
나를 바꾸는 힘, 습관: 100일 챌린지

서현진

———

챌린지

매일 하나의 시 필사하기

나를 바꾸는 힘, 습관: 100일 챌린지

1. 한 걸음 내딛기

나는 대학교에 들어오면서 하나의 신조를 설정했다. '나에게 오는 기회를 놓치지 말고 쟁취해 후회 없이 살자.' 안 하고 후회할 바에야 하고 후회하자는 마음가짐을 가지게 되었는데 마침, 1학년 1학기에 이현주 교수님의 '기업의 이해'라는 강의를 수강하게 되면서 '숭실100일성공챌린지'에 대해 알게 되었다.

수행 결과를 게시하고 서로서로 공유하며 독려하는, 그러면서도 나의 목표를 달성할 수 있는 챌린지를 할 수 있다는 것이 흥미로웠고, 특히 3기 이전에 2기에 참여한 사람들의 경험을 모아 책을 집필하였다는 것이 매우 매력적이었다. 어렸을 때부터 작가가 되는 것이 꿈이었던 나에게 책 집필은 챌린지 참여에 아주 큰 미끼였던 것이다.

그래서 나는 이런 기회가 또 언제 오겠느냐, 이 기회로 나에게 변화가 찾아오지 않을까, 라는 마음으로 '숭실100일 성공 챌린지3기'로 참여하게 되었다.

2. 나에게 적합한 목표 찾기

처음 목표 설정을 할 때 어떤 활동으로 할까, 거창하고 학업에 도움이 되는 일로 정해야 하나 고민이 많았다. 그래서 2기 챌린지에 참여하신 분들의 인스타그램 게시물을 참고했는데, 운동, 디지털 디톡스, 성경 필사 등의 일상적인 활동들도 많은 것을 알 수 있었다. 그래서 나 또한 내 상황에 맞는 일상적인 활동으로 정하고자 했다.

대학교까지 왕복 5시간이 걸려 통학하는 나에게 운동과 공부를 목표로 삼기에는 부적절하다고 생각했다. 1교시라도 있는 날에는 새벽 5시에 일어나 6시에 외출하기에 아침 일찍 수행하기엔 어려움이 있으며, 집과 학교를 오고 가며 소비하는 시간과 체력을 고려하고, 막 입학한 1학년이며 학생회 신입 부원인 만큼 학교 내 생활로 바쁘게 지낼 것을 고려했을 때, 챌린지 성공에 실패할 가능성이 매우 크다고 생각해 다른 활동을 물색하였다.

운동은 이해가 가능하나 공부의 경우 짬짬이 틈을 내어 공부하면 되지 않느냐, 나약하다는 생각이 들 수 있을 것이다. 하지만 그런 사람들 있지 않나? 하나에 집중하기 어렵고 일상적인 일들을 잊어버리고 꾸준히 무언가를 하겠다고 다짐했으나 작심삼일이 되어버리고 마는 그런 경험이. 내가 바로 그런 사람이었다. 계획했던 일들을 미루다가 결국 수행하지 못하고, 내일의 나에게 맡기고, To do 리스트를 작성하다가도 어느새 보면 Done 리스트가 되어 있고, 무기력한 나날들을 보내는 그런 게을러 보이는 사람.

그랬기에 나는 사소하지만서도 성실히 할 수 있는 일을 목표로 삼으려 했다. 100일 성공 챌린지인 만큼 완수하는 것에 의의를 두고 쉽게 성공할 수 있을 만한 활동을 찾은 것이다.

그 당시 나는 시에 대해 많은 관심을 두고 있었고, 시를 써보는 것에 대해서도 생각해 보던 시기였다. 100일 챌린지로 시를 필사하면서 이런 시가 있구나, 이것을 활용해 이렇게 표현했구나, 하며 분석도 하고 어쩌다 내 인스타그램 계정을 발견했을 사람들에게 내가 좋아하는 시를 알려줄 수 있으면 좋겠다는 마음도 있었다. 그렇게 나는 시 필사를 나의 챌린지 목표로 삼았다.

"100일 동안 매일 하나의 시를 필사해 사진 찍어 인스타그램에 게시하기."

내가 소개할 나의 100일 동안의 여정은, 무기력한 나에게서 벗어나 100일 동안 꾸준히 목표한 일을 해내는 나의 도전이다.

3. 성공을 위한 초석

내가 챌린지를 시작하고 제일 먼저 한 일은 인스타그램 계정을 새로 개설하는 것이었다. 기존에 있던 비공개 계정을 공개 계정으로 전환해 쓰자니 나의 개인정보가 너무 많이 녹아들어 있었고, 나를 팔로우하고 있던 친구·지인들, 함께 챌린지를 하게 될 분들과 시 필사를 보기 위해 팔로우했을 사람들을 고려했을 때, 일상 계정과 챌린지 계정은 분리하는 것이 좋겠다고 생각되어 새로 계정을 만들게 되었다.

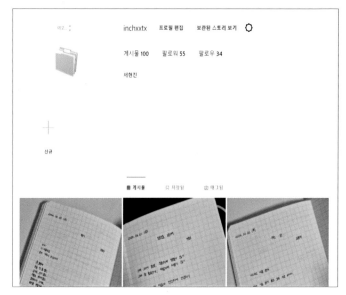

숭실100일성공챌린지 전용 인스타그램 계정

@inchxxtx 나의 인스타 계정.

그냥 마구잡이로 멋있어 보이게 대충 만든 것처럼 보이지만 이 인스타그램 아이디에는 뜻이 있다. 'inchoate'의 영어 단어에서 모음을 모두 x로 치환해 만든 것으로, 이번 단락의 주제와도 상당히 밀접하게 관련되어 있다고 할 수 있겠다. 무슨 뜻인지 감이 잡히는가?

'inchoate'의 뜻은 바로, '이제 시작 단계인'이라는 의미의 영어 단어이다. 챌린지를 시작했다는 의미도 있겠지만 무엇보다 이를 통해 어떤 형태로든 변화할 나를 기대하며 이 아이디로 설정했다.

이렇게 챌린지 성공 사진을 게시할 인스타그램 계정을 개설한 후, 그다음은 시를 필사할 노트를 사는 것이었다. 연주회 공연 전, 제각기 악기 세션마다 조율하고 점검하느라 분주한 모습을 보신 적이 한 번쯤은 있으실 거라고 생각이 든다. 만약 그 준비 시간이 없다면 성공적인 연주를 하기에 어려움이 있지 않겠는가?

연주회 공연 전에 악기를 조율하는 준비 시간을 가지듯이, 기본적인 준비를 하고 챌린지에 임하고 싶었다. 그래야 챌린지 디데이를 깨지 않고 꾸준히 지속해나가고 싶다는 욕심이 생기고 사진을 찍었을 때도 균일하게 결과물이 나와 게시할 만한 퀄리티가 될 것으로 생각했기 때문이다.

그렇게 시작하기 하루 전, 3월 14일에 노트를 구매해 그다음 날부터 챌린지를 진행하기 시작했다. 챌린지가 끝났을 무렵 절반 이상은 빼곡히 시로 차 있을 노트를 기대하면서 말이다.

처음 게시글을 올린 날, 많은 수의 참가자분들이 반응해주신 것을 보고 깜짝 놀랐다. 하트를 눌러주시기도 하고 댓글에 불과 박수 이모티콘을 달아주시며 나의 챌린지 첫 수행 성공을 축하하고 응원해주고 계셨다. 너무나도 훈훈한 모습에 나도 마음속으로 응원하며 그들의 첫 게시물에 하트를 누르고 다녔다.

그 응원에 힘입어 챌린지를 시작한 지 일주일, 매일 하나의 시 필사를 수월하게 마쳤다. 처음 챌린지를 시작하는 날엔 챌린지 성공을 향한 의지와 열정을 담아 '시작'에 대한 시를 찾아서 필사하고, 5일째 되던 날엔 농구 경기를 관람하러 갔음에도 챌린지 수행을 잊지 않고 경기 쉬는 시간 때 필사해 게시하기도 하였다.

그런데 아무래도 챌린지를 시작한 지 매우 초반이고 무언가를 매일 한다는 것이 익숙지 않아 가끔 깜빡할 일이 생길 것만 같았다. 그래서 평소 쓰던 캘린더에 미리 6월 22일까지 무려 100개의 일정을 적어 놓아 잊어버리는 일이 없도록 하였다. 그렇게 나의 첫 30일은 챌린지 완수에 성공하며 마무리되었다.

4. 실패의 위기

그러나, 100일 모두 성공하자는 다짐과는 달리 챌린지의 절반 정도를 해냈을 때 어려움에 봉착하고 말았다.

나는 여러 가지 일을 한 번에 하는 것을 잘하지 못한다. 흔히들 다중작업을 못 한다고 말한다. 학과 학생회에 들어가 일을 하고, 곧 다가올 중간고사를 위해 공부까지 하면서 챌린지를 이어 나가려니 과부하가 왔다고나 할까? 캘린더도 쓰지 않은 지 꽤 되어 갔다.

캘린더가 뒷전이 되어 보지도 않게 되자 곧바로 챌린지 수행에 영향이 갔다. 먼젓번에 써놓은 일정들을 점검할 수단이 사라지며 내가 챌린지를 수행했는지의 여부를 착각해 그날 새벽에 허둥지둥 글을 게시하는 경우도 생기고, 챌린지 자체를 깜빡하고 지나쳐 하루를 건너뛰는 경우도 생겼다. 인증 글을 게시하고서는 다른 참가자분들의 게시물도 보지 않고 넘어가는 것도 바쁘니 넘기자-, 하고 당연히 여겼다.

챌린지를 시작한 지 45일째 되던 날이다. 나의 망각으로 인해 하루를 건너뛰게 되어 이튿날 시 두 편을 올리니 속이 상하더라. 시를 필사하며 올릴 때 날짜를 왼쪽 위에 적어 게시하는데, 이 날짜와 게시 날짜가 다르니까 내가 챌린지 수행에 실패했다는 사실이 너무나 확연하게 드러나는 것 같아서 허탈했고 창피했다. 새벽에 사진을 게시했을 때는 1시도 되지 않았는데 다음 날로 적혀 있는 인스타그램이 야속했다면, 이번 경우는 나 자신에게 꽤 실망했던 것 같다. 이렇게 간단한 것도 잊어버려서 미루게 만드나 싶고, 실패나 다름없는데 설명글에 'D+45'라고 써도 되나 싶어 마음이 불편했다. 나 스스로가 너무 답답하다고 느껴져 챌린지를 빨리 끝내버리고 싶었다. 이런 생각에 챌린지 단톡방에 올라온 세 번째 20일 완수 여부 투표에서도 어느 쪽도 투표하지 못하고 그저 넘겨버렸다.

그래도 챌린지를 포기하고 싶지는 않았다. 한 번 뒤처졌다고 여기서 끝내버리게 되면 내가 무언가를 꾸준히 성실하게 할 수 없다는 증명밖에 되지 않는 것으로 생각했다. 이왕 여기까지 온 거 약 50일만 더 하면 되는데 그때까지 한 번도 놓치지 않고 잘하면 되지 않을까? 라는 생각으로 울적한 마음을 뒤로 하고 내 나름의 반성을 담아 '지각'과 관련된 시를 필사해 게시하였다.

'어느 날 다시 만난다면 그때는 늦지 않겠습니다.' 라는 구절을 작성하며 더는 시간을 놓치는 일 없이 완수하겠다는 각오를 다지게 되었던 것 같다.

반성하며 게시한 안서연 - 〈지각〉 시

그리곤 지나버린 날짜를 신경 쓰며 게시물을 하염없이 바라보고 있을 때, 참가자분들의 반응을 보게 되었고 마음이 무거워졌다. 사진만 툭 올리고 바로 계정 전환을 했던 나였기에 다른 참가자분들의 게시물에 반응하지 않은 지도 오래되었는데, 그런데도 나의 챌린지를 응원해주는 사람이 있다는 것을 이제야 발견한 것이다. 순간 너무 부끄러워졌다. 서로를 응원하고 격려하며 진행하기로 한 챌린지였는데, 그런 점에 관심을 가지고 참여하게 된 거였는데, 어느새 함께 한 참가자분들을 잊고서 단체가 아닌 개인의 챌린지를 하는 것이나 다름없었다. 그때부터 나는 게시물을 올리는 것에서 끝나지 말고 다시금 참가자분들을 응원하며 남은 50일을 성공으로 이끌어야겠다고 생각했다.

뒷전이 된 캘린더 없이도 챌린지를 까먹지 않게 하려고 대안을 모색했다. 캘린더를 이후에도 잘 쓸 것 같지 않아서 핸드폰에 to do 리스트를 작성할 수 있는 앱을 설치했고, 숭실100일챌린지를 루틴으로 설정해 앱에서 오전 9시와 오후 10시에 일정을 상기하는 알림을 보내도록 하였다.

이렇게 나의 실패를 토대로 재다짐하고 상황 또한 조정하자 챌린지가 끝날 때까지 집에 늦게 도착해 새벽에 글을 게시하였던 2일을 제외하고는 모두 챌린지 수행에 성공할 수 있었다.

5. 꽤 성공적인 마무리

이제는 강의 중간 쉬는 시간이나 과방에 머무르는 시간은
물론 집에서도 시간 될 때마다 필사하려고 하게 되었다. 드
디어 습관이 된 걸까. 일어나자마자 노트와 펜을 챙기고 집
과 학교를 오가는 지하철 안이나 집에서 밥을 먹을 때 시를
검색해 찾아보는 것이 일상화되었다. 일과로 완전히 자리 잡
게 되자 D+100까지 더 이상의 큰 시련 없이 무난하게 성공
했다. 45일째에 다짐했던 참가자분들에 대한 응원도 조금이
었지만 최대한 하트를 누르려고 노력해 왔다.

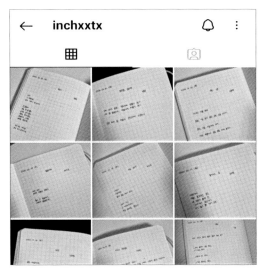

인스타그램 인증

챌린지 수행 성공 여부를 따지는 것에서 벗어나 사람들에게 어떤 시를 보여드리면 좋을지 진지하게 생각하게 된 것도 챌린지 막바지가 되어서는 그제야 고려할 수 있게 되었다. 특히 챌린지의 마지막은 꼭 내가 좋아하는 시로 장식하고 싶어 10일 전부터 고심했던 것 같다. 곧 다가오는 여름인 상황에 맞지는 않으나 절절한 그리움을 따뜻하게 풀어내 읽으면 먹먹함을 느낄 수 있는 윤동주의 <편지>를 끝으로 100일이 끝이 났다.

100번째의 게시물을 올렸을 때, 해냈다는 감정보다는 드디어 챌린지가 끝났다! 라는 감정이 더 강했다. 매일 시를 필사해야 했기에 귀찮았던 것은 아니고, 더 이상 챌린지에 실패할까 두려워하지 않아도 된다는 생각에 후련했던 것 같다. 심지어 아르바이트로 인해 피곤한 몸 상태였기에 쓰러져 그저 잠을 청했다.

성취감을 느낀 것은 그다음 날이 되어서였다. 똑같이 아르바이트를 다녀온 후 책상을 정리하던 도중 시를 필사했던 노트를 펼쳐보게 됐다. 노트의 $\frac{7}{8}$ 정도가 시로 빽빽이 차 있는 것을 보고 '내가 이렇게나 많은 시를 필사했구나…'하며 나의 100일이 활자의 분량으로 체감되었던 탓이었다.

조금은 얼떨떨하기도 했다. 챌린지 단톡방에 20일마다 올라왔던 그동안의 완수 여부 투표의 결과를 돌아보니, 나와 챌린지를 함께 한 많은 이들이 나와 비슷하거나 다른 이유로 실패를 겪었음을 알 수 있었다. 챌린지 실패의 위기를 겪고 다시 일어난 것은 나뿐만이 아니었다. 내가 이들과 함께 실패를 이겨내고 끝까지 함께 했다는 것에 감격스러웠다. 나도 한다면 하는 사람이라는 것을 보여준 것만 같았다.

6. 변화 가능성의 희망

100일 동안의 시 필사는 나에게 생각보다 많은 영향을 주었다. 숭실100일성공 챌린지에 참여하게 되면서 내가 몰랐던 많은 새로운 시를 접하게 됐다. 마음에 드는 시의 이미지를 발견했을 때 시 구절을 검색하며 제목이 무엇이고, 작가가 누구인지 찾으면서 가지고 싶은 시집 또한 생겼다.

숭실100일챌린지를 성공했다고 평소 차일피일 미루던 나태한 내가 한순간에 근면해지는 것은 아닌 것을 안다. 하지만 이를 통해 나도 작심삼일이 아닌 초지일관의 태도를 가질 수 있다는 가능성을 엿볼 수 있었으며, 변화한 내 모습을 보며 여기서 더 변화할 수 있다는 희망을 품게 되었다. 목표를 바꾸어가며 수많은 100일을 지나다 보면 그것들이 쌓여 나를 좋게 변화시킬 것이 분명하다.

숭실100일챌린지를 함으로써 얻은 변화를 또다시 잃지 않도록 찬찬히 더 많은 일과 목표를 세움으로써 더 나은 나를 위해 노력할 계획이다.

7. 나와 비슷한 이에게

무념무상으로 챌린지를 수행한 때가 태반이었기에 아마 내 글에서 얻을 수 있는 것은 적을지도 모른다. 이 글을 적으면서 내 생각을 잘 드러나도록 적는 게 어려워 내가 하고 싶은 말이 무엇인지 모르겠다면 어쩌나 하는 걱정도 든다.

그래도 말해주고 싶은 한 가지는,
이렇게 나태하고 우유부단한 나도 챌린지에 성공해 변화를 취할 수 있었으며, 이 글을 보는 당신도 의지만 있다면 무엇이든 할 수 있다고 전해주고 싶었을 뿐.

8. 포기하지 않는 것

당신이 어떠한 타입의 인간인지를 알면 목표 달성에 큰 도움이 된다. 사람마다 성향이 다르고 자라온 환경이 다르기에 나의 성공 방법과는 안 맞을 수도 있다. 당신이 객관적일수록 자신에 대한 파악을 통해 맞는 방법을 찾을 수 있다. 당신의 주변 상황을 파악하고 활용할수록 좋으며, 목표 설정, 계획 수립 및 조정에도 유익하다.

하지만 당신이 어떠한 사람이든 이것 하나만큼은 모두에게 전하고 싶다.

감히 조언하자면,
실패한다 해도 완전히 놓아버리는 것은 금물이다. 사람은 누구나 다 실수하고 패배하기 마련이다. 언제나 승리하고 성공하는 사람은 없다.

인생은 마라톤이라고들 한다. 잠깐 넘어져서 뒤처졌다고 멈춰 서있으면 당신은 어떠한 결과도 받지 못할 것이다. 등수가 몇인지도 알 수 없고 좌절로 인해 멈춰 있는 동안 목적지는 당신에게서 더욱 멀어질 것이다. 넘어져서 다친 상처를 치료하고 옷매무새를 정리하고 당신의 계획을 정비한 다음 다시 뛰기 시작해야 한다고 본다.

사소한 일이라도 꾸준히 해보아라. 그것이 어렵다면 짧게 여러 번으로라도 해보아라. 그 모든 것들이 쌓이고 쌓이면 비로소 거듭나 달라진 모습을 찾을 수 있을 것이다.

9. 100일에서 일상까지,

숭실100일챌린지를 계기로 간 오피스투어에서 면을 트게 된 학우와 이야기를 나누었던 때가 기억난다. 챌린지에 관해 이야기를 나누면서 자연스레 성공 여부도 공유하게 되었는데, 그 친구가 말하길 '챌린지를 수행하는 걸 잊고 며칠이 지나자 자연스럽게 챌린지에 대한 인지와 책임감이 저하하였고 결국 D+40에서 이어가지 않았다. 의지도 사라지고 귀찮아져 다시 할 마음도 나지 않더라.'라고 심정을 토로했다. 이에 대해 격하게 공감했다. 매일도 아니고 일주일에 최소 5일은 운동하자고 다짐했을 때, 결국은 한 달도 채우지 못하고 흐지부지된 경험이 떠올랐기 때문이다.

그랬던 내가 챌린지는 계속해서 이어 나갈 수 있었던 것에 나의 게으르지만, 완벽을 추구하는 성향에 영향이 있었던 것 같다. 게으른 완벽주의자, 얼마나 이상한 단어인가? 완벽해지고 싶어서 게으르다는 정당화를 하려는 것은 아니다. 그저 게으르긴 하나 완벽함을 깨고 싶지 않다는 것에 가깝다고 보면 될 것 같다. 선후관계가 다른 일종의 강박증 같은 것이다.

매일 챌린지를 수행하며 얻는 성취감보다는 하루라도 빼먹게 되면 어쩌나 하는 마음이 강했던 나였다. 디데이를 깨고 싶지 않은 마음이 매우 강력했다. 실패함으로써 며칠이 지나고 나면 디데이를 날짜 기준에 맞춰야 하나 혹은 수행 횟수에 맞춰야 하나 고민까지 했고, 어느 쪽을 기준으로 하든 디데이가 비는 것을 막을 수 없어지기 때문에 절대 날짜를 놓치고 싶지 않은 마음이 강해졌다.

이런 불안함과 완벽 추구가 실패했음에도 챌린지를 이어나가게 해준 원동력이라고 생각이 든다. 어제 게시물을 올리지 못했으니, 오늘에라도 시 두 편을 올려 디데이를 맞추는 것. 오히려 실패했기에 완벽 추구 성향이 더 강해져 챌린지를 끝까지 수행할 수 있었던 것일지도 모른다.

동시에, 공개적인 인스타그램에 게시하며 디데이를 계산하고 성과를 공유하고 참가자들 서로서로 응원하는 방식 또한 나의 성공에 도움이 되었던 것 같다. 만약 챌린지의 인증 방식이 나 혼자 스스로 점검하는 거였거나 단톡방에 게시하는 것이었을 때, 나는 금방 포기했을지도 모른다. 혼자가 아니라 함께 하는 거였어도 많은 이들이 포기함에 따라 나도 물들어 버렸을 것만 같다.

그런 의미에서 인스타그램에 게시했던 것은, 피드에 수행하는 사람들의 게시글만 보여 나에게 챌린지에 대한 관심을 촉구하고 오전 12시가 되면 바로 다음 날이 되어버리는 인스타그램의 시간도 나의 동기가 되었지만, 무엇보다도 함께 숭실100일성공챌린지 3기에 지원했던 참가자분들의 하트와 댓글이 나를 움직이게 만드는 요소였다고 생각한다.

1일 차의 응원부터 45일 차의 격려, 100일 차의 축하까지, 모두 모여 나의 챌린지가 성공할 수 있게 만들어 주었다. 이렇게 내가 그들의 응원에 힘을 얻었는데, 만약 내가 참가자들의 게시글에 더 많은 응원을 보냈다면 지금보다 더 많은 이들이 실패를 이기고 성공하지 않았을까 하는 아쉬움이 남아 있다. 이다음에 비슷한 활동을 하게 된다면 그때는 꼭 반응을 열심히 남겨 모두 함께 성공을 누릴 수 있도록 하리라.

끝으로, 이런 기회를 주신 이현주 교수님께 감사의 인사를 드리고 싶다. 숭실100일챌린지에 참여하기로 했을 때만 해도 나에게 이런 경험이 주어질 줄은 꿈에도 몰랐다. 오피스투어도 다녀오고 챌린지로 변화한 나의 모습을 맞이하는 경험. 여전히 꿈만 같다.

나는 아마 챌린지가 끝난 후에도 종종 시를 찾아볼 예정이다. 이미 100일이 지난 이후에도 필사하거나 게시하진 않았지만 시를 찾아보기도 했다. 책을 쓰기 위해 그동안 올렸던 시들을 주욱 보면 그 당시의 내 심경 파악이 가능하다는 것이 흥미로웠다. 문장이 아름다운 시 또는 계절, 다짐의 시를 제외하고 모두 사랑과 관련된 시였다. 조금 민망해졌으나 이렇게 내가 필사한 시를 보고 그때의 감정과 상황을 떠올릴 수 있어 추억 형성에도 일조하고 나에 대해 더욱 객관적인 파악이 가능할 것으로 생각된다. 그렇기에 챌린지는 끝이 났지만, 가끔 강렬한 감정을 느끼거나 아무 이유 없이 그러고 싶을 때 시 한 편을 필사해 올릴까 한다.

쉼표로 끝나는 나의 챌린지.
내 챌린지는 여기서 끝이 아니다.

100일을 거치며 나는 매일 시 필사하는 것을 내 습관으로 만들었다. 이후에 계속될 또 다른 나의 챌린지도 열심히 달려 나가고자 한다. 그 모든 챌린지가 쌓이고 쌓여 일상이 되고, 나를 변화시키길 바라며.

나의 변화 가능성을 담은 글을 읽어주신 독자분들께도 감사를 전한다. 함께 더 나은 내일로 나아갈 수 있는 사람이 되었으면 한다. 응원을 담아 마침.

4장.
100일 습관, 작심삼일에서 작심백일까지

원준원

———

챌린지

주 3회 이상 헬스장에 가서 운동하기

100일 습관, 작심삼일에서 작심백일까지

1. 예상하지 못한 학기를 맞이하다

2024년 1학기. 전혀 예상하지 못한 학기를 보내게 되었다. 계획대로라면 1학년을 깔끔하게 마치고 후회 없는 겨울 방학을 보낸 뒤 3월에 깔끔하게 입대하기. 이것이 2023년 새해가 되자마자 세운 나의 'Plan A'였던 것이다. 치밀한 계산과 시뮬레이션을 통해 쌓아 올렸던 계획이기에 이것 이외의 생각은 하지 않았던 것이 나의 큰 실수였고, 이런 허점을 간파했다는 듯이 결국 공군 최종 합격 인원에서 4명 차이로 탈락하게 되면서 예상하지 못했던 1학기를 맞이하게 되었다.

급하게 학기를 준비하면서 우연히 수강하게 된 교양 수업에서 교수님께 100일 챌린지에 대한 설명을 듣게 되었다. 방향성이 없던 급조된 학기에서 의미 있는 활동을 하나라도 해보고 싶은 마음이 들었다. 무엇보다 내 이름으로 책이 출판되어 나온다는 다소 단순한 이유가 나에겐 매력적으로 다가왔기에, 100일 챌린지를 참여하기로 결심했다.

2. 내가 깨고 싶은 벽은 무엇인가

이번 챌린지를 참가하기로 했을 때, 2024년 새해 목표로 1월에 운동을 시작했던 것이 생각났다. 원래는 3월에 있을 입대를 대비해서 체력적으로 준비하고자 시작했던 운동이긴 했다. 그러나 계획은 틀어졌고, 겨울방학 3개월간 운동을 열심히 하면서 스스로가 운동에 재미를 붙인 것도 있기에 학기를 보내면서도 방학 때와 같이 열심히 하고자 했던 마음이 있었다.

챌린지 목표로 우선 '주 3회 이상 헬스장에 가서 운동하기'를 정해 100일간 꾸준히 하면서 운동을 하나의 습관으로 자리 잡게 만들려고 했다. 3개월간 PT를 받고 혼자서도 주 4회, 많으면 주 5회까지 꾸준히 운동하면서 운동에 꽤 많은 재미가 붙었다지만, 아직은 운동하러 헬스장에 간다는 것 자체에 있는 귀찮음을 떨쳐내지는 못했기에 100일 챌

출석 체크!

린지를 통해 운동을 일상으로 만들고 싶었다. 방학과 달리 챌린지는 학교생활과 병행해야 했기에 운동 횟수는 최소 주 3회로 낮춰서 설정하였고, 인증 방식은 헬스장에 도착한 시간과 운동을 마치고 나올 때의 시간을 찍어서 인증하는 방법을 택하게 되었다.

이 100일 챌린지에서 가장 중요하다고 생각한 점은 '매일'이라는 요소였다. 아무리 쉬운 목표를 세웠을지라도 하루도 빠짐없이 매일매일 수행하는 것은 결코 쉬운 일이 아니다. 그래서 챌린지, 도전이라고 부르기 충분하다. 나의 챌린지 목표인 '주 3회 이상 헬스장에 가서 운동하기'는 매일 할 수 없는 목표였기 때문에, 운동하지 않는 날 챌린지를 이어나갈 수 있는 다른 목표를 설정할 필요가 있었다.

그래서 생각해 낸 두 번째 목표는 '하루 1시간 자기계발의 시간 가지기'였다. 하루 1시간 동안 학과 공부를 해도 되고, 평소에 관심 있었던 일본어 공부나 독서를 해도 괜찮다. 단지 그 1시간만큼은 핸드폰이나 미디어에서 벗어나 내가 계획한 것에 몰입할 수 있는 시간을 가지고 싶었다.

이렇게 '주 3회 이상 헬스장에 가서 운동하기'와 '하루 1시간 자기계발의 시간 가지기'를 100일간 내가 깨야 할 벽이라고 생각하고 챌린지에 임하게 되었다.

3. 도전의 시작

챌린지가 시작되기 3일 전인 3월 12일, 챌린지에 참여하는 인원들이 모여 선포식을 가지게 되었다. 챌린지를 시작하기에 앞서 서로의 목표와 선정 이유를 공유하는 것은 참가자들을 '동료'로 묶어 주었다.

목표로 하는 것은 각자 다르지만, 서로가 서로의 도전을 응원하며 100일 동안 챌린지를 완수하겠다는 같은 목표를 향해 함께 하고 있다는 것이 유대감을 형성시켜 주었고, 챌린지 시작에 앞서 동기부여가 최대치로 될 수 있게 도와준 트리거(trigger)가 되어 주었다.

3월 15일 기분 좋은 공강 날 아침. 챌린지의 첫날이 시작되었다. 공강인 금요일은 매주 PT 수업을 받는 날이었다. 수업을 받는 헬스장은 왕복 50분이 걸릴 정도로 먼 곳에 있어서 항상 큰 결심을 하고 무거운 발걸음으로 갔지만, 첫 단추를 잘 끼우겠다는 책임감 덕분일까, 한결 가벼운 발걸음이었다. 트레이너 선생님께서도 나의 도전을 응원해 주셨다. 매주 3회 운동한다는 목표가 절대 쉽게 볼 게 아니라며, 성공한다면 몸도 굉장히 좋아지고 의지력도 크게 성장할 거라고 격려해 주셨다.

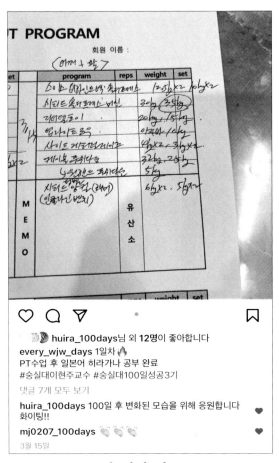

첫 번째 인증

그날 밤 인스타그램에 운동 인증을 올리고, 다른 참가자들과 격려와 응원의 댓글을 나눴다. 얼굴과 목소리는 들리지 않지만, 함께 긴 마라톤을 뛰고 있는 것만 같았다.

챌린지 첫날을 성공적으로 마치고 많은 생각이 들었다. 나의 챌린지 목표가 남들과 달리 새로운 걸 시작하는 것이 아니라 원래 하던 운동을 계속 이어서 하는 것인데, 자칫 매너리즘에 빠질 수 있던 상황을 다시 환기하는 느낌이 들었다. 나는 나 혼자서 하는 일에는 쉽게 게을러지게 되지만, 남의 눈치를 많이 보는 성격 탓일까, 다른 사람들이 보거나 함께 하게 되는 일에는 한없이 철저해지는 성격이다. 그래서 혼자서 운동하면서 게을러질 수 있던 시기에 많은 사람과 함께 하는 챌린지로 적절한 강제성을 부여받을 수 있었다. 어떻게 보면 감시의 긍정적인 효과였다.

그리고 스스로 '열심히 산다'라는 느낌을 받았다. 챌린지에 차질이 없게 하려고 그날 해야 할 목표는 최대한 일찍 마치려고 계획했더니 쉬는 날에는 아침에 일찍 일어나는 습관이 들었다. 평소였으면 오후 2시쯤에 꾸물거리면서 침대에서 일어났던 내가 일찍 일어나 운동까지 하고 와도 12시가 되지 않았다는 사실이 신기하기도 했고, 뿌듯하기까지 했다. 하루가 길어진 것만 같았다.

4. 찾아온 위기

챌린지를 성공적으로 출발했지만, 가는 길이 쭉 순탄할 수 없고 위기는 찾아오기 마련이다. 처음으로 마주한 위기는 가장 우려했던 게으름이다. 늦게까지 학교 수업을 듣고 집에 들어와 침대에 몸을 던지니 도저히 다시 운동하러 나갈 발걸음이 떨어지지 않았다. 뇌에서는 계속 침대에서 일어나라고 명령을 보냈을 터인데, 다리는 묵묵부답이었다. 결국, 그날 나의 챌린지 인증 계정에는 인증이 올라오지 못했다.

첫 번째 실패를 너무 이른 시기에 해버린 것 같아 마음이 쓸쓸했다. 무엇보다, 분명 내가 침대에서 빈둥거리는 같은 시간에 다른 사람들은 챌린지를 완수하려고 노력했을 거라는 사실이 대비되어 부끄러웠다. 인증 글에 응원해 주고, 격려해 주던 사람들의 기대에 저버리는 것만 같았다. 나 스스로는 환경을 거스를 수 없다는 사실을 깨달았고, 환경을 거스를 수 없으면 환경을 바꿔버리겠다고 결심했다.

운동하기로 생각한 날에는 헬스장에 가기 전에 집에 절대 들어가지 않기로 계획을 수정했다. 집에 가기 위해서는 4호선 평촌역에서 내려야 했고 헬스장에 가려면 그다음 역인

범계역에서 내려야 했다. 지하철이 평촌역에 가까워지면 항상 '지금 내리면 집이고 한 정거장만 버티면 헬스장이다' 하며 내적 갈등이 찾아왔다. 이 지하철 한 정거장을 두고 머릿속은 매번 전쟁통이 돼버리곤 했는데, 결국 이 한 정거장 사이의 고민을 이겨낼 수 있었다.

5. 무사고 30일 차

첫 30일은 정말 빠르게 지나갔다. 내가 도전해야 할 목표들이 30일 만에 일상이자 루틴으로 자리 잡고 있다는 것이 느껴졌다. 처음에는 매일 챌린지를 수행하고 밤에 인증을 올리는 것을 의식하면서 했다면, 시간이 지나 30일 차가 되어갈 때쯤에는 크게 의식하지 않아도 자연스럽게 챙겨지는 일상의 일부분으로 자리 잡아가고 있었다. 한 정거장 사이의 고민도, 헬스장 앞에서 찍는 인증 사진도, 일본어 공부를 하고 찍는 교재 사진도 점점 익숙해져 갔다.

교수님께서는 이 과정이 성공 DNA가 심어지는 과정이라고 하셨다. 내가 하는 활동이 무엇인지를 떠나, 내가 직접 정한 목표를 매일매일 격파해 나가면서 목표를 달성하는 것이 일상이 되어가는 과정인 것이다. 나는 매일 성공을 경험하고 이 작은 성공들을 100일간 모아 큰 성공을 이룰 수 있는 길을 걷고 있었다.

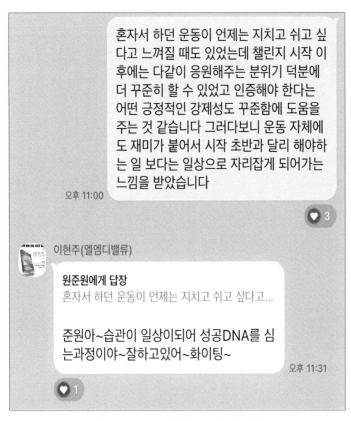

성공 DNA는 가까운 곳에 있었다

이러한 사실은 내가 전과 달리 열심히 살고 있다고, 흔히 말하는 '갓생'을 살고 있다고 생각하게 만들어 자존감이 높아지기도 했다.

6. 예상하지 못한 부상과 아쉬운 마무리

챌린지가 마무리되기 약 30일 전, 나의 통제범위 밖에서 위기가 찾아왔다. 부상이었다. 운동을 하면서 생각보다 많이 부상에 시달렸다. 챌린지 초반에는 왼쪽 무릎에 슬개건염이 생겨 러닝을 뛰지 못했었다. 이번에는 혼자 운동을 하다 잠잠했던 허리디스크에 통증이 다시 찾아왔다.

앞서 말했던 게으름과 달리 부상은 내가 통제하기 힘든 위기였다. 부상 때문에 운동을 제대로 하지 못하는 것도 문제였지만, 더 큰 문제는 부상 때문에 나의 의지가 꺾인 것이다. 평소에 하던 만큼 운동을 하지 못해 스스로가 만족하지 못했고, 몸이 더 좋아지고 싶어서 운동을 시작한 건데 오히려 다쳤다는 게 억울했다.

처음부터 운동을 시작하지 않았다면 다치지도 않았을 거

라고 생각한 적도 있을 만큼 의지가 꺾이기도 했다. 오랜 기간동안 치료를 받으면서 일상생활이 가능할 정도로 회복시켜 놨더니 하루 운동을 잘못해서 다시 원래대로 되돌아갔다는 생각에 큰 스트레스를 받았다.

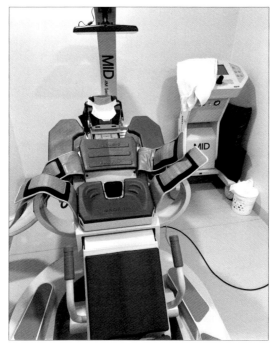
2년 만에 다시 찾은 병원

설상가상으로 기말고사 기간까지 겹쳐버리면서 마지막 30일은 운동을 꾸준히 하러 가지 못했다. 부가적으로 정한 하루 1시간 자기계발이라는 목표는 시험공부를 하면서 달성했다고 할 수도 있었지만, 시험공부는 챌린지를 하지 않았더라도 해야 하는 것이기에 시험공부를 한 시간으로 챌린지를 달성했다고 하고 싶지 않았다. 나를 속이는 것 같았다. 그렇게 마지막 30일간은 챌린지를 제대로 하지 못했고, 완주를 깔끔하게 하지 못했다는 생각에 많은 아쉬움을 남긴 채 챌린지는 마무리되었다.

7. 나는 변화했을까?

챌린지가 전부 마무리된 지금 과정을 되돌아보면 중간에 빠진 날도 있고 마무리도 미흡해서 아쉬운 부분이 확실히 있지만, 챌린지를 참여하면서 많은 것을 얻었다. 직접적으로는 100일간 꾸준히 운동하면서 체력이 상당히 좋아졌다. 챌린지를 시작한 처음에는 5분 동안 뛰는 것조차 벅찼는데 이제는 15분은 거뜬히 뛸 수 있게 되었다. 좋아진 체력 덕분에 이번 학기에 수업 지각을 단 한 번밖에 하지 않았다!

간접적으로도 많은 변화가 있었다. 혼자가 아니라 많은 사람들과 함께 챌린지를 참여하면서 다른 사람들의 다양한 목표들을 보고 시야가 넓어졌다. 코딩 문제를 매일 푸는 사람도 있었고 영어 회화 공부, 전공 공부 등 각자만의 다양한 목표들을 보며 새로운 정보들도 많이 얻을 수 있었다.

4km도 이젠 쉬워졌다.

각자 자신의 꿈을 위해 열심히 노력하는 모습을 보며 많은 동기 부여를 받았고, 나도 똑같이 저 사람들처럼 동기 부여를 줄 만한 사람이 되고 싶다는 동경심에 더욱 열심히 노력할 수 있었다. 나 또한 다른 참가자들에게 긍정적인 영향과 도움을 주었을지는 모르겠지만, 나의 챌린지 과정을 보고 단 하루라도 힘을 내서 포기하려던 챌린지를 수행할 수 있었다면 그것만으로도 큰 의미가 있다고 생각한다.

성공을 해봤다는 경험 또한 특별하게 다가왔다. 나는 지금까지 성공이라고 부를 만한 경험이 거의 없었다. 대학 입시도 한 번에 성공하지 못했었고, 학점도 들인 노력에 비해 잘 나오지 않았다. 입대조차 내가 계획했던 대로 되지 않았다.

최근 5년간은 정말 세상이 내가 생각하는 대로 돌아가지 않는다고 생각하기만 했었고, 성공하는 법을 잊은 채 물 위에 떠 있는 나뭇잎처럼 그저 흘러가는 대로 저항 없이 흘러가고 있었다. 그러나 이번 챌린지를 통해 내가 통제할 수 있는 작은 범위부터 하나씩 고쳐 나가고, 하나씩 성공했다. 꾸준히 운동한다는 작은 목표이지만, 나에게 성취감을 주기엔 충분했다.

챌린지를 하는 동안 나는 매일매일 성공하고 있었다. 그리고 이 성공들을 100일 동안 모아 거대한 변화, 즉 거대한 성공도 이뤄낼 수 있었다. 나는 챌린지를 통해 꾸준함과 성공하는 방법이라는 하나의 무기를 얻을 수 있던 것이다.

8. 앞으로의 계획

글을 쓰면서 챌린지를 되돌아보는 시간을 가졌는데, 생각할수록 마지막 30일을 제대로 마무리하지 못한 것이 마음에 걸리고 아쉬웠다. 다음에 '숭실100일성공4기'챌린지가 있다면 리벤지로 다시 참여해 보고 싶다. 8월에 입대하게 되어 더 어려운 조건에서 챌린지를 수행하게 되겠지만, 자칫 무료하게 낭비되는 시간으로 보낼 수 있는 군 생활에서 하나의 성취를 이룰 수 있게 도와줄 수 있을 거라 생각한다.

이번 1학기를 보내며 전공이라는 틀에서 벗어나 다양한 진로에 관심을 가질 수 있었다. 군 생활을 하면서 관심 가졌던 진로들을 경험해 보아 진로에 대한 고민을 마칠 수 있으면 그것만으로 의미 있는 군 생활일 것으로 생각한다.

챌린지는 이미 끝이 났지만, 나는 아직도 매주 헬스장에 나가고 있다. 이제 운동이라는 것은 나에게 도전적인 목표가 아니라 일상으로 완전히 자리 잡았다.

이 글을 읽게 되는 독자분들도 각자 마음속에 하나쯤은 이루고 싶지만 두려워서, 자신이 없어서 구석으로 밀어 둔 목표가 있을 거라 생각한다. 이번 기회에 다시 꺼내 보는 건 어떨까. 혼자가 아니라 함께 뛰어보면 성취하지 못할 거라고 생각했던 목표도 뛰어넘을 수 있을 거라 믿는다. 첫 발자국을 내디딜 당신을 응원하며, 숭실100일성공4기 챌린지에서 만나기를 기대한다.

5장.
다이어트 말고, 잘 살고 싶어서

이한솔

———

챌린지

건강한 식습관 길들이기
매일 인터벌 러닝 30분
18:6 간헐적 단식

다이어트 말고, 잘 살고 싶어서

1. 다이어트를 그만두었다

챌린지를 도전하기로 결심한 이유는 단순히 체중 감량의 실패 경험 때문이 아니다. 무수한 실패의 반복 속에서 잃어버린 자신감, 그리고 건강을 되찾고 싶은 절실한 바람에서 비롯되었다.

처음으로 시도한 것은 초절식 다이어트였다. 말 그대로 극단적으로 적은 양의 음식을 섭취하면서 체중을 줄이려는 방법이었다. 며칠 동안 거의 굶다시피 하면서도 체중계의 숫자가 줄어드는 것을 보며 작은 성취감을 느꼈다. 하지만 금세 현실적인 문제들이 나타나기 시작했다. 영양 부족으로 인한

피로감, 집중력 저하 그리고 무엇보다 생리와 같은 호르몬 변화로 인해 몸은 더욱 힘들어졌다. 그리고 나는 워낙 단 것을 좋아했다. 초콜릿, 과자, 케이크 등 달콤한 음식들을 멀리하는 것은 나에게 너무나 큰 고통이었다. 결국 스트레스를 이기지 못하고 군것질하게 되면서 다이어트는 번번이 실패하고 말았다.

자취 생활을 하다 보니 배달 음식이나 레토르트 식품에 자주 의존하게 되었다. 이런 식습관은 나의 건강을 더욱 악화시켰다. 컵라면조차 건더기 스프를 빼고 먹을 만큼 채소를 싫어했기에, 균형 잡힌 식단을 유지하기란 쉽지 않았다. 하지만 올해 초 국가 건강검진에서 고혈압 전 단계 진단을 받았을 때, 나는 비로소 지속 가능한 식습관 개선을 목표로 식습관을 바꿔야겠다는 현실적인 필요성을 절감했다. 건강을 지키기 위해서는 진정한 변화가 필요했다.

2. 지속 가능한 변화의 시작

처음에는 식습관을 어떻게 개선해야 할지 막막했지만, 유튜브나 인스타그램의 다이어트 계정을 통해 다양한 정보를 얻으며 나에게 맞는 방법을 찾기 시작했다.

　단 음식이 혈당 관리에 정말 안 좋다는 것을 알지만, 지금 당장 단 음식을 줄이면, 이전에 반복했던 무수한 다이어트와 동일해지리라는 것을 체감상 알고 있었다. 그래서 단 음식에 대한 갈망을 서서히 줄여나가기로 했다. 나는 아이스크림을 정말 좋아하는데, 감사하게도 요즘은 대체당을 사용한 아이스크림이 많이 출시되고 있어서 많은 도움이 되었다. 그러나 이러한 간식들도 자주 먹으면 살이 찌기 때문에, PMS 시기 등 정말 단 음식을 참기가 어려울 때 먹고 있으며, 식후 디저트가 습관이 되어 있던 나는 초콜릿 맛 단백질 쉐이크, 스테비아 방울토마토 등 건강한 단맛으로 대체하기 위해 노력했다.

　또한, 배달 음식을 시켜 먹으면 어떤 재료가 들어갔는지, 알 방법이 없어서 나는 직접 요리해서 먹기 시작했다. 특히 채소를 싫어하던 나의 식습관을 바꾸기 위해, 채소를 최대한 맛있게 조리하는 방법을 찾기 시작했다.

　최근 다시 혈압 수치를 재보았더니 정상으로 돌아왔다는 사실은 100일 챌린지가 끝난 이후에도 꾸준히 건강한 식습관을 유지할 수 있는 동기부여가 되었다.

또한 챌린지 31일 차부터 간헐적 단식을 실천했다. 18:6 방식으로, 매일 18시간 공복을 유지하고 6시간 동안 자유롭게 식사했다. 간헐적 단식은 우리가 숙면을 하는 동안 장기들도 휴식할 수 있게 해 주어 생활할 때 더욱 활발히 기능할 수 있게 한다고 한다. 확실히 간헐적 단식을 하면 아침에 일어날 때마다 몸이 가벼워진 느낌이 들어 하루의 시작이 활기차진다.

이러한 과정을 통해 건강한 식습관이 자리 잡았고, 이는 나에게 큰 변화를 가져다주었다. 일상에 활기를 불어넣고 꾸준히 실천할 수 있는 지속 가능한 변화를 이루어냈다.

3. 도전의 첫날이 밝다

100일 챌린지의 첫날이 밝았다. 새로운 도전을 시작하는 첫날의 설렘과 긴장은 말로 다 표현할 수 없을 정도였다. 다들 알지 않는가. 원래 첫날은 의욕이 샘솟아서 뭐든 할 수 있다는 마음이 든다는 사실을, 그리고 그날, 나는 바로 그 마음으로 가득 차 있었다. 마치 무슨 일이든 해낼 수 있을 것만 같은 기분이었다.

이번 챌린지의 시작 단계에서는 식습관을 개선하는 것부터 시작하기로 했다. 평소 레토르트 식품이나 배달 음식 혹은 식사 대신 군것질로 생활하던 나에게는 큰 변화였지만, 건강한 식습관을 만들기 위한 첫걸음이라고 생각했다. 매일 신선한 재료로 요리하며 균형 잡힌 식사를 하려고 노력했다. 식단을 준비하는 과정에서 요리의 재미도 느끼고, 내 손으로 만든 음식을 먹는 기쁨도 새삼 깨달았다.

위에서 말했듯이 나는 아이스크림을 정말 좋아해서 내 혈당 조절의 키포인트는 아이스크림을 줄이는 것이라고 봐도 무방했다. 그래서 나는 대체당 아이스크림을 먹기 시작했는데, 대체당 아이스크림도 종류가 다양하다. 이름만 대체당일 뿐 실제로는 영양 성분이 일반 고열량 디저트와 다르지 않은 제품과 대체당이기에 맛이 없는 제품도 상당히 많았다.

여러 가지 제품을 시도한 결과, 영양성분은 좋지만, 맛이 고열량 디저트와 큰 차이가 없어 꾸준히 사 먹고 있는 몇 가지 제품을 찾게 되었다. 예를 들어 라라스윗 모나카&저당

초코바, 끌레도르 더:단백바, 델리스푼 로슈얼 프로틴 저당 시리얼 옥수수맛, 종근당 건강 테이스틴 단백질 칩 등이 있다. 이러한 정보를 공유함으로써 독자들이 여러 번의 도전과 실패를 겪지 않도록 도와주고자 한다.

또한, 직접 요리를 해 먹기 위해 냉장고에 항상 양상추, 청경채, 숙주, 알배추, 오이, 버섯류 등을 구비해두었고, 메인 재료로는 우삼겹, 연어, 훈제오리, 참치캔, 소고기 등을 주로 활용했다. 유튜브에 검색하면 각종 다이어트 레시피가 많이 나오지만, 내가 주로 해 먹었던 요리는 샤브샤브와 포케였다.

샤브샤브

훈제오리 포케

소고기 포케

채소를 싫어했지만, 위 재료들로 채소와 가까워졌고 직접 장을 보고 요리하는 것에서 일상에 활기가 생겼다.
추가로 가끔 맵고 자극적인 음식이 당길 때는 컵누들 마라탕 면을 이용해 마라샹궈를 만들어 먹으며 욕구를 충족했다.

이렇게 다양한 채소와 단백질이 균형 잡힌 식사를 했다. 식후 디저트로는 스테비아 방울토마토와 같은 건강한 간식을 먹으며 가급적 가공식품을 피하려고 노력했다.
이러한 식습관의 변화는 나의 몸과 마음에 긍정적인 영향을 미쳤다. 에너지가 넘치고, 몸이 가벼워지는 것을 느낄 수 있었다.

더불어 매일 헬스장에서 30분간의 인터벌 러닝을 하였다. 나는 원래 헬스장의 기부 천사로, 헬스장을 등록하고 한 달 내내 가본 적이 손에 꼽는다. 하지만 이번에는 자신과의 약속을 지켜보기로 마음먹었다. 매일 헬스장에 가는 것은 쉽지 않았지만, 그만큼 보람도 크게 느껴졌다. 처음에는 30분 동안 뛰는 것이 너무 길게 느껴졌지만, 끝까지 달리고 나면 땀에 흠뻑 젖어도 느껴지는 상쾌함은 말로 다할 수 없을 정도였다.

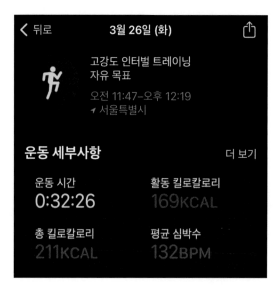

인터벌 러닝 30분 인증 사진

특히 처음 며칠 동안은 근육통으로 인해 다리가 무거워서 걷는 것조차 힘들었다. 하지만, 나는 포기하지 않고 꾸준히 해 나갔다. 매일 조금씩 더 달리고, 더 빠르게 달리려고 노력했다. 점차 몸이 적응하면서, 이제는 30분이 오히려 짧게 느껴져 더 달리고 싶은 마음이 들기도 했다. 이런 변화를 통해 나는 할 수 있다는 믿음이 생기기 시작했다.

챌린지 30일 차가 되었다. 처음 시작할 때의 의욕이 무너지지 않고 지속되었고, 나도 마음먹으면 할 수 있다는 자신감을 얻었다. 매일 꾸준히 식습관을 개선하고 운동을 한 결과, 몸의 변화를 느낄 수 있었다. 체력이 좋아지고 몸이 가벼워지는 것을 느끼면서, 나의 노력에 대한 보상을 직접 느낄 수 있었다. 이러한 변화를 통해 나에 대한 믿음이 커졌고, 더 열심히 도전해서 남은 70일 동안 더 큰 변화를 이루어 내리라는 다짐을 하게 되었다.

이제 30일을 성공적으로 마치고, 앞으로 남은 70일을 생각해 보았다. 처음 시작할 때는 100일이라는 기간이 너무 길게 느껴졌지만, 지금은 시간이 너무 빠르게 흘러가는 것 같았다. 하루하루를 소중히 여기며, 작은 목표들을 이루어 가는 과정이 즐거웠다. 그리고 이러한 경험을 통해 나에 대해 더 많이 알게 되었다. 내가 얼마나 강인한지, 얼마나 많은 것을 이룰 수 있는지를 말이다. 이러한 시작이 "성공 DNA를 새기는 과정이구나"라고 느끼게 되었다.

4. 시련을 이겨내는 법

31일 차 챌린지부터 나에게 큰 변화가 찾아왔다. 바로 토익 공부를 시작한 것이다. 학교 공부와 병행하여 토익 공부를 하다 보니, 운동을 할 시간이 부족해졌다. 하루를 아주 빠듯하게 살아내면 운동과 공부를 병행하는 것이 가능하다는 것을 나 역시 알고 있었지만, 그렇게 하면 공부할 때 컨디션이 안 좋아져서 집중력이 떨어지는 느낌을 받았고, 그로 인해 다른 방법을 찾아보기로 결심했다.

우선, 나는 운동 대신 다른 건강한 생활 습관을 도입하는 방법을 고민했다. 고민 끝에 선택한 것이 바로 18:6 간헐적 단식이었다. 18:6 간헐적 단식은 24시간 중 18시간을 단식하고 나머지 6시간 동안 식사를 하는 방식이다. 이 방법을 통해 하루의 일정을 조금 더 유연하게 조절할 수 있을 것 같았다. 특히, 운동을 하지 못하는 대신 간헐적 단식을 통해 몸을 가볍게 유지할 수 있다는 점이 마음에 들었다.

간헐적 단식을 시작하고 나서 몇 가지 긍정적인 변화를 경험했다. 먼저, 아침에 일어날 때 몸이 가벼워지는 느낌을 받을 수 있었고, 덕분에 하루의 시작이 활기차졌다. 이로 인해 하루 종일 부지런하게 지낼 수 있게 되었다.

챌린지의 중간 과정에서 목표 달성 계획을 조정하게 되었지만, 오히려 좋은 점도 있었다. 운동을 하고 나면 쉽게 허기가 졌는데, 무언가를 더 먹자니 운동의 효과가 아까워서 먹지 못하고 잠자리에 들려고 하니 배가 고파서 괴로웠던 적이 많았다. 그러나, 운동을 하지 않고 간헐적 단식을 하니 허기짐을 덜 느끼게 되어 잠에 들기가 편안했고, 다음 날 아침 눈바디가 운동한 날과 비슷한 효과를 보여서 만족스러웠다.

간헐적 단식을 통해 얻은 또 다른 이점은 시간 관리의 효율성이다. 운동을 하기 위해 필요한 시간과 준비 과정이 생략되면서 그 시간을 토익 공부에 더 투자할 수 있었다. 이렇게 확보된 시간은 나의 학습 효율성을 높이는 데 큰 도움이 되었다. 더욱이, 간헐적 단식을 하면서 체중 관리와 건강도 유지할 수 있었기 때문에 일석이조의 효과를 누릴 수 있었다.

이러한 경험을 통해 깨달은 것은, 바쁜 일상에서도 건강을 유지할 수 있는 방법은 다양하다는 것이다. 중요한 것은 자신의 상황에 맞는 최적의 방법을 찾는 것이며, 그 방법을 꾸준히 실천하는 것이다. 간헐적 단식은 나에게 그러한 대안 중 하나였고, 이를 통해 나는 공부와 건강을 동시에 챙길 수 있었다.

5. 넘어져도 다시 일어나기

나는 어느새 이 챌린지의 마지막 한 달을 남기고 있었다. 유종의 미를 거두기 위해 마음을 다잡아야 했지만, 제주도 여행을 기점으로 간헐적 단식과 식단을 지키지 못하였다. 이번 도전은 단순히 몸을 가꾸기 위한 것이 아닌, 나 자신과의 약속이었기에 더욱 중요한 의미를 지녔다. 하지만 제주도를 여행하는 동안 3박 4일만 마음껏 먹어야겠다고 다짐했음에도 불구하고 한 번 해이해지기 시작하니 의지가 걷잡을 수 없이 꺾이고 말았다.

그간 챌린지 목표를 지키느라, 간헐적 단식을 유지하고 직접 만든 건강한 음식을 먹다 보니 꽤 오랜만에 접한 식도락 여행은 간헐적 단식이라는 약속을 잠시 잊게 했다. 나 자신에게 3박 4일만 즐기자고 허락했지만, 이 자유로움은 예상보다 길어졌다. 여행에서 돌아온 후에도 마음을 다잡기 힘들었고, 그렇게 하루하루는 계속 흘러갔다. 매일 밤, 다음 날부터는 다시 시작하겠다고 다짐했지만, 아침이 되면 언제나 같은 실수를 반복했다. 이 상황이 반복되며 나는 점점 불안해졌다.

시간이 지나면서 스스로와의 약속을 지키지 못했다는 자

책감이 생겼다. 나는 그동안 큰 노력을 기울여왔다. 그런데 이렇게 끝내면 지금까지의 모든 노력이 물거품이 될 것 같다는 생각이 들었다.

그러던 중 챌린지 단톡방에 마지막 10일이 남았다는 카톡을 보게 되었다. 이 메시지 보니 챌린지 첫날 가졌던 자신감 넘치는 마음가짐과 내게 멤버들과 함께 열심히 해보자며 응원해 주셨던 교수님의 말씀이 생각나 다시 한번 정신을 차리게 하는 계기가 되었다.

나는 다시 마음을 다잡고 나 자신과의 약속을 지키기 위해 노력하기로 결심했다. 나의 실패를 받아들이고 다시 시작하는 것은 쉽지 않았지만, 나는 이를 극복해야 했다. 매일 아침 나는 새로운 다짐으로 하루를 시작했다. 어렵고 힘든 순간마다 스스로 약속했던 목표와 서로 격려해 주며 함께하는 멤버들을 떠올리며 다시 일어섰다.

마지막 10일 동안 나는 모든 유혹을 이겨내고 간헐적 단식과 식단을 성공적으로 이어갔다. 이 과정에서 나는 단순히 몸의 변화를 넘어서, 정신적으로도 성장할 수 있었다. 드디어 챌린지의 마지막 날이 되었다. 비록 중간에 의지를 잃고 챌린지를 이어가지 못한 기간도 있었지만, 함께 하는 멤버들이 있었기에 다행히 다시 의지를 다잡고 챌린지를 이어가며 유종의 미를 거둘 수 있었다는 사실에 뿌듯함을 느꼈다.

이 경험은 나에게 큰 교훈을 주었다. 무엇보다 자기 자신과의 약속을 지키는 것이 얼마나 중요한지를 깨닫게 되었다. 간헐적 단식이라는 도전은 단순한 식이요법이 아니라, 나의 의지와 자기관리 능력을 시험하는 과정이었고, 나는 이를 통해 한층 더 성장할 수 있었다.

물론 중간에 실패도 있었고, 좌절도 있었다. 그러나 중요한 것은 다시 일어서는 의지였다. 그 과정에서 나와 같은 도전을 하는 챌린지 멤버들이 있다는 사실이 다시 일어설 수 있게 하는 큰 자극이 되었고, 무언가 도전을 할 때 혼자서 하기보다는 서로 격려해 나가면 중간에 의지가 꺾이더라도 다시 도전할 수 있는 용기가 생긴다는 것을 몸소 느끼게 되었다.

6. 새로운 여정의 문을 열다

100일간의 간헐적 단식 챌린지는 나에게 큰 변화를 가져왔다. 챌린지를 통해 얻은 성취감은 나에게 평생 잊지 못할 소중한 경험이었다. 챌린지가 끝나고도, 나는 이 모든 변화를 지속하기 위해 노력하고 있다.

최근 혈압 측정 결과가 정상 수치로 돌아왔을 때, 그간 노력한 것에 대한 보람을 느꼈다. 단기적인 목표를 달성한 것이 아니라, 지속 가능한 건강한 식습관을 만들어가는 과정에서 오는 보람이었다. 하루하루 지속적인 노력이 어떻게 나의 건강에 긍정적인 영향을 미치고 있는지를 실감하게 되었다.

이 경험을 통해 나는 자신감을 얻었다. 앞으로의 어떤 도전이 와도, 나는 두려워하지 않고 맞서 나갈 준비가 되어 있다. 건강한 식습관을 유지하는 것은 단순한 몸매 관리를 넘어서, 나 자신을 존중하고 사랑하는 방법이기도 하다. 이러한 노력과 결실은 평생 나에게 남을 소중한 자산이 될 것이다.

챌린지의 시작은 나에게 새로운 여정의 문을 열어주었다. 이제 나는 취업 준비라는 새로운 도전에 직면하고 있다. 이번 챌린지에서 배운 교훈과 자신감을 바탕으로, 더 나은 내일을 향해 달려가고자 한다. 이 경험은 나에게 더 나은 삶을 추구하게 하는 원동력이 되었다.

7. 성장의 여정: 오늘의 나를 만든 경험들

나는 100일간의 간헐적 단식 챌린지를 통해 많은 것을 배웠다. 건강한 식습관을 만들어가는 내적인 여정에서 얻은 깨달음과 성취감은 나를 변화시키고, 더 나은 삶을 위한 추진력이 되었다. 나의 이야기를 통해 이러한 경험을 공유하고자 하는 이유는 다양하다.

첫째, 건강한 식습관의 중요성을 강조하고 싶다. 현대 사회에서는 많은 사람들이 빠르고 편리한 식사에 의존하며, 그로 인해 건강 문제가 증가하고 있다. 내가 도전한 챌린지는 단기적인 목표를 넘어서, 식습관을 변화시키고 지속 가능한 건강을 추구하는 방법을 배우게 해주었다. 나는 이를 통해 일상에서의 활기를 찾았기 때문에 독자들도 건강한 식습관을 위해 작은 변화부터 차근차근 도전해 보았으면 좋겠다는 마음을 전하고 싶다.

둘째, 나의 경험을 통해 다른 이들에게 긍정적인 자극을 줄 수 있다고 믿기 때문이다. 많은 사람들이 장기적인 목표를 세우지만, 그 과정에서 지치고 포기하는 경우가 많다. 하지만 나는 멤버들과 함께하는 챌린지를 통해 지속 가능한 변화를 이루는 방법을 배웠고, 이는 누구에게나 도움이 될 수 있다고 생각한다. 내 이야기가 다른 이들에게 희망과 동기를 주고, 자신만의 목표를 성취하는 데 조금이라도 기여할 수 있기를 바란다.

마지막으로, 나 자신의 성장과 자아 발견의 여정을 나누며, 멤버들과 함께하는 것의 중요성을 알리고 싶다. 챌린지를 진행하면서 나는 내면의 강점과 약점을 더 잘 이해하게 되었다. 혼자였다면, 쉽게 포기했을지도 모르는 도전을 마라톤처럼 멤버들과 함께 응원하며 길을 걷다 보니, 스스로 정한 약속과 도전을 해낼 수 있는 큰 자신감을 얻었다. 이 경험은 앞으로의 모든 도전에 대해 두려워하지 않고 직면할 수 있는 힘을 길러주었고, 나 자신을 더 잘 이해하고 받아들이는 데 도움을 주었다. 그래서 나는 독자들과 '함께'하는 힘의 영향력을 나누고 싶다.

위 모든 이유로, 이 책을 통해 나의 이야기를 전함으로써,

독자들이 자신만의 도전을 실천해 나가는 여정에 작은 도움이 되기를 바란다. 일상의 작은 습관들이 모여 큰 변화를 만들어내는 힘을 믿으며, 함께 성장하는 삶을 만들어 가기를 소망한다.

8. 챌린지 성공을 위한 팁

나의 경험을 바탕으로 독자들에게 챌린지 성공을 위한 팁을 주고자 한다.

먼저, 목표를 설정할 때는 장기적이고 거창한 목표를 세우기보다는 단기적으로 실천할 수 있는 세부 목표를 정하고 그 목표를 달성했을 때의 성취감을 느끼는 것이 중요하다. 작은 성취들이 모여서 큰 성취로 이루어지기에, 이러한 성취감이 지속 가능한 동기부여로 이어질 것이다.

또한, 실패는 피할 수 없는 과정이다. 부정적인 감정에 휩쓸리기보다는 변화와 성장의 기회로 삼아야 한다. '실패는 성공의 어머니'라는 말처럼, 실패를 통해 배우고 다시 일어서려는 의지를 가지길 바란다. 실패를 밑거름 삼아 더 나은 방향으로 나아갈 수 있다.

9. 나의 잠재적 가능성을 향하여

이 책을 읽고 100일 챌린지를 도전하게 된다면, 이번만큼은 자기 자신과의 약속을 지켜보기를 바란다. 챌린지에 성공하면, 앞으로 어떠한 일을 하게 되던지 나는 다 할 수 있다는 자신감이 생기는 "성공 DNA"가 새겨지는 첫 단계가 될 것이라 확신한다.

나는 이제 취업 준비라는 도전을 맞이하고 있다. 취업 준비는 불확실성과 긴장이 동반되는 과정일 수 있지만, 나는 챌린지를 통해 얻은 자신감과 결단력을 바탕으로 이 시기를 긍정적으로 마주하고자 한다. 단계마다 성취감을 느끼며 나 자신을 격려하고, 지속적인 노력을 통해 내가 원하는 목표에 한 발짝씩 다가가고자 한다.

또한, 챌린지를 통해 배운 교훈 중 하나는 실패에 대한 두려움을 버리고 다시 일어서는 의지인데, 취업 준비 과정에서도 때로는 실패하고 어려움에 부딪힐 수 있다. 그러나 그런 경험들이 나를 더 성장시킬 것이기에 나 자신을 믿고 이 과정을 통해 나의 가능성을 최대한 발휘하고자 한다.

맺음말: 당신의 이야기를 기다리며

「지금까지 함께한 챌린지 동료들에게 진심으로 감사드리며, 이 책을 읽어주신 독자 여러분께도 깊은 감사를 전합니다. 함께한 여정을 통해 많은 도전과 성장을 경험했습니다. 이 경험은 우리 모두에게 연대감과 지속 가능한 변화를 위한 자신감을 심어주었습니다. 서로를 지지하고 격려하는 마음을 가지고 앞으로 나아가며, 독자 여러분과 함께 더 나은 미래를 만들어 나가길 기대합니다.」

6장.
나와 도전, 그 자체의 의미

전광렬

———

챌린지

1일 1 블로그 업로드
매일 감사하기

나와 도전, 그 자체의 의미

1. 도전은 기회

Challenge, 곧 도전. 이상적이자, 멋진 말이지만, 나에게는 거리가 먼 개념이었다. '안정된', '한결같은'이라는 표현을 더 선호했고, 그런 모습을 유지하기 위해서는 도전을 멀리해야 했기 때문이다.

도전을 통해 얻는 성취와 성공, 성장의 달콤함보다는 넘어짐, 자기비판, 과정의 쓰라림이 더 크게 다가왔다. 처음 도전의 결과가 크게 나타나는 입시도 제법 잘 끝내서 나의 태도가 문제로 여겨지진 않았다. 그렇게 덮어두고, 회피하며 살아가다 보니 각자의 계획과 노력에 따라 달라진 삶의 양상이 서서히 두드러지는 20대 중반이 되었다. 어느새 세상에서 말하는 스펙으로도, 인간적으로도 뒤처진 느낌이 들었다. 내가 생각했던 25살의 모습과 지금의 나는 너무도 달랐다. 좋은 말로 포장된 삶을 살며, 핑계와 합리화로 틀에 박힌 사람이 되어 있진 않은지 자신을 돌아보았다.

챌린지에 함께 할 멤버 모집 소식을 듣게 되었다. 나의 모습에 만족하지 못하고 변화하고 싶은 마음은 굴뚝같이 있었지만, 막연한 생각 속에서 '100일이라는 시간 동안 변화가 크겠어?'라는 판단이 존재했다. 그렇게 신청 기한은 끝이 나게 되었다. 그쯤, 누군가로부터 "기회는 특정인에게 주어지지 않는다. 모두에게 주어지는 것이다. 그러나 잡는 자는 한정되었다."라는 말을 듣게 되었다. 평소 같았으면 당연하게 흘려들었을 말이었지만, 스스로에 대한 고민과 성장에 대한 갈망이 있었던 터라, 며칠을 곱씹어 생각해 보았다.

당장 가치와 의미를 발견하지 못했지만, 챌린지가 내게 변화를 일으킬 만한 기회는 될 수 있겠다는 생각이 들었다. 대단한 무엇을 이뤄내진 못해도, 기회를 잡아야겠다고 결심했다. 두려움이 앞서기도 하였지만, 언제까지 제자리에 머물러 있을 수는 없었다. '정면으로 맞서 싸움을 거는 것'이라는 도전의 정의처럼 '부딪히는 시간을 가지고, 즐겨보자!' 결단하였다. 교수님께 다시 한번 참여 가능 여부를 여쭤보았고, 기회가 내게 주어졌다.

2. 도전의 주체는 나

100일 동안 진행할 도전 과제를 고민하면서, 다른 것이 아닌 나를 온전히 바라보고자 하였다. 생각, 성품, 능력 등 다양한 시각에서 보완하거나 강화할 필요성이 있는 부분은 무엇인지 생각해 보았다. 마인드맵을 그리며, 최종적으로 이루고 싶은 목표를 적기도 하였다. 그리고 잊고 있었던 나의 비전을 떠올렸다.

사실 나는 꿈이 없다. 바른대로 말하면 직업으로서의 장래 희망이 없었다. 이미 고민을 물론, 행동에 옮겨져 결과물을 냈어야 하는 4학년이기에 사람들의 시선에서는 어리석어 보일 수 있다는 것을 나도 잘 안다. 그러나 그저 돈을 잘 벌고, 지위가 높은 것을 바라보는 삶, 성취가 목표가 되는 삶은 나에게 그렇게 중요하지 않았다. 어렸을 적부터 평범하고 무난한 삶이 꿈이었고, 그렇게 경험한 유년 시절은 삶을 살아가는 힘은 결코 사라지는 것으로부터 오지 않는다는 것을 알게 했다. 그래서 더 내면에 집중했던 것 같다. 아직은 남들과 조금 다른 듯한 가치관으로 세상을 바라봄은 꽤 재미가 있었다.

그 시선을 가지고 세상을 살아갈 내가 최종적으로 이뤄내고 싶은 한 가지는 확실했다. 곧 비전이기도 한데, 바로 '선한 영향력을 끼치는 사람'이다. 누군가의 삶에 개입하고, 때론 진절머리 날만큼 힘겨운 인생을 함께 살아가는 것이 나에게는 소망이 되었다. 내 말과 행동이 누군가에게 생각의 거리가 되고, 영향을 줄 수 있다는 것을 실감하면서, 나 자체로 의미 있고, 도움이 되는 사람이 되고 싶었다.

그렇게 나는 도전 과제를 선정했다. '블로그 100일 챌린지'였다. 발대식 당일, 챌린지에 참여하게 되어 하루 만에 도전 과제를 선정했어야 했기에 '목적과 과제가 서로 너무 뜬구름 잡는 이야기를 하는 것은 아닐까?'라는 걱정이 있기도 하였다. 그러나 짧은 시간의 고민 동안 꼬리에 꼬리를 물 듯 나오는 진짜 꿈들은 어쩌면 내 안에 가장 이뤄내고 싶었고 가지고 싶었던 가치이자, 되고 싶은 '나'라는 확신이 들었다.

도전을 막상 시작하려 하니 어마어마한 도전 과제도 아니고, N 사에서 진행하는 블로그 챌린지도 있는데 굳이? 라는 생각이 다시금 들기도 하였다. 또 한 번의 확신이 들 때까지 이 실천이 나에게 도전과 변화로서의 의미가 있는지 또 생각하고 생각해 보았다. 그러나 그 결과에 대한 대답은 늘

'그렇다'였다. 꾸준히 무엇인가를 행동하는 것 자체를 도전으로 여겼다. "잘하는 사람이 오래 남는 것이 아니라, 결국 오래 남은 사람이 잘하는 것이다"라는 말을 들은 적이 있다. 꾸준함은 무기가 되지만, 나는 학업도, 운동도, 취미생활에서도 끈기가 부족했다. '시작했으면 끝을 봐야지'라는 말은 내 사전에 없는 말이었다. 그래서 1일 1 블로그 업로드라는 목표를 설정했다. 단점을 보완하고자 하였다.

또한 평소 대화하고, 생각을 나누는 것을 좋아하는 나였다. 이 기회를 통해 나의 역량을 더욱 강화하고, 사람들과 소통하고자 하였다. '글을 읽고 난 후 사람들이 자신을 돌아보거나, 어떠한 정의에 대해 다시 생각해 볼 수 있는 새로운 시선을 제공하자!'라는 목표를 세웠다. 어름어름 될 수 있다는 가능성을 생각해 평소 삶에서 여운을 남긴 말, 대화 가운데 든 생각, 새롭게 알게 되고 정리된 개념, 요동친 감정의 흐름을 기록하기를 결정했다. 매 순간에서 의미를 발견하고, 인사이트를 얻고, 주는 것에 집중하려 했다. 단순히 챌린지가 행위나 기록에 치중하지 않기를 바랐다.

그렇게 사람들이 가볍게 넘기는 글이 아닌 찾고 싶은 글을 쓰는 도전을 시작하게 되었다. 새로움이 기다리고 있다는 기대와 무엇인가를 만들고 이루어 갈 대상이 되었다는 자긍

심은 도전에 대한 열망을 더욱 키웠다. 걱정은 사라지고, 변화의 소망만이 더욱 커졌다.

3. 즐거운 도전

챌린지 첫날, 하루를 시작하며 마음가짐이 새로웠다. 평소의 아침은 '오늘은 또 어떻게 살아가야 할까?', '벌써 아침이야?'라는 걱정과 불평이 앞설 때가 많았는데, 작은 변화가 있다고 생각하니 괜히 들뜨는 날이었다. 나는 '오늘 어떤 장소에 들러, 어떤 장면을 보게 될 것이며, 몇 명의 사람을 만나 무슨 대화를 나눌까? 무슨 생각과 감정을 경험하게 될까?' 등의 기대감들로 하루를 기분 좋게 시작하였다.

그렇게 처음 작성한 글의 제목은 '비전'이었다. 많은 사람에게 가지고 있던 생각을 공개한 것은 처음이었다. 스스로에 대한 고민을 통해 시작된 챌린지 이였기에, 반드시 나의 얘기로 시작하고 싶다는 마음이었다. 처음부터의 과정을 기록하면서, 나는 꽤 오래전부터 생각하기를 좋아하고, 어떤 사람이 되고 싶다는 소망이 참 많은 사람이었다는 걸 새삼 알게 되었다. '나는 누구일까?', '무엇을 해야 할까?', '나의 삶의 이유와 목적은 무엇일까?'라는 질문으로 시작한 글은 내 인생에 대한 기대로 가득 차 있었다.

앞으로의 챌린지도 내일 새로운 꿈을 꿀 수 있는 사람이 되는 기회가 되기를 바랐다. 이를 위해 나의 글이 단순히 편협한 생각의 나열이나 SNS를 내리다 보면 있는 감성 글귀 수준이 아니라 글 하나, 하나에 큰 의미가 있었으면 좋겠다고 생각했다. 그렇기에 나의 삶의 모든 순간을 당연하게 여길 수 없었다. 모든 것이 얘기를 풀어갈 주제가 되었다. 예를 들어 '모순'이라는 제목의 글에는 내가 생각하고 경험한 사랑과 마음에 대한 모순이 담겨 있다. 그리고 벗어나고 싶은 모순도 적어두었다.

글을 읽은 사람들은 답글을 통해서 내가 알지도, 생각하지도 못한 생각과 감정을 기록해 주었다. 그리고 그것은 나에게 또 새로운 시각을 제시했다. '내일은 무슨 주제로 얘기를 나눌 수 있을까?', '누가 어떤 글을 달아줄까?' 삶의 새로운 설렘이 생겼다. 더욱 능동적으로 삶을 살아내고자 하는 동력이 되었고, 즐거운 마음으로 매일 사람들과 소통했다.

꾸준히 채워나간 블로그 글

4. 반복되는 문제

이번 도전은 포기와 실패는 없을 것이라 다짐했는데, 생각보다 빨리 나에게 무기력이 찾아왔다. 모든 것이 재미 없이 느껴지는 시기였고, 챌린지가 점차 일처럼 느껴졌다. 당연한 걸 당연하게 여기지 않고, 드러나는 표면이 아닌 기원과 뜻, 속까지 들여다보고, 다양하게 생각해보는 것이 피로해졌다. 자포자기의 심정으로 하루를 낭비하며 아무런 생각 없이 보낸 날들이 생겨났다. 빨리 벗어나려 새로운 계획을 세워나갔지만, 어디서부터 어떻게 시작해야 할지 몰라 어영부영 또 멈춰 섰다. 스스로에 대한 실망이 커졌다. 늘 제대로 일을 완성하지 못하는 나에게 화가 났다. 부정적 감정에 잠식되어 글을 작성하기 어려웠다. 사람들에게 좋지 않은 영향은 주고 싶지 않았다.

그때, 도전 1주일 차 소감을 다시 보았다. 당시 나의 대답은 '아직은 습관이 아닌 의무감으로 한다'였다. 의무감조차 사라진 나를 보니 많은 걸 잃어버렸음을 실감하게 되었다. 그리고 다시 챌린지를 시작한 처음을 떠올렸다. 도전 자체에 의미를 두고, 변화하고 싶었던 열망이 여전히 내게 있었다.
그러자 생각이 전환되기 시작했다. 성장은 넘어지며 부서

지며 하는 것이기에 실패와 요동은 그 과정 한가운데 있음을 증명하는 것이었다. 습관이 되어가기까지의 시간이니, 조급하지 말고 다시 시작해 보고자 하였다. 챌린지를 가볍게 여기지 않고, 진짜 내 삶에 변화를 일으키는 의미가 있도록 마땅히 해야 한다는 의무감으로라도 챌린지를 이어나갔다.

> 아직까지는 습관이 아니라
> 챌린지이기에 해야지! 라는 마음입니다.
>
> 그래도 삶에서 한 키워드를 찾고
> 그에 대한 과거나 현재의 경험이나
> 사고를 작성해보고, 또 하루마다도
> 생각이 변하는 저를 발견하며
> 즐겁게 진행 중입니다.
>
> 단순, 편협한 생각의 나열이 아니라
> 사고의 전환, 자원의 기록이 되길 바라며
> 습관이 되는 그 날까지 화이팅
>
> 16:07
>
> ♥ 4

챌린지 중 소감

5. 더 큰 위기와 극복

학생들이 신체적으로, 정신적으로 겪는 가장 큰 어려움은 시험 기간인 것 같다. 어떤 감정도 느끼고 싶지 않고, 생각도 하기 싫은 시기, 눈앞에 놓인 걸 해치우기 급급하다. 나 역시 점점 마음과 시간적 여유가 사라지기 시작했다. 사람들을 만나기보다 혼자 있는 시간이 많았고, 그게 좋았다. 물론 다를 거 없는 반복되는 일상이었다. 하루가 당연해졌고, 생각 자체를 하는 시간은 학업을 미루기 위한 회피와 낭비처럼 여겨졌다. 머리는 지식을 수용하기에 급급했다. 넘쳐나는 과제는 그 한구석을 차지했다. 4학년, 잘해야만 하는 시기였기에 부담감은 더해졌다.

엎친 데 덮친 격으로 얼마 전, 그렇게 다짐하고도 도전을 대하는 나의 태도가 또 쉽게 변하는 것을 보며 실망이라는 감정에 지배당했다. '이번에는 다르다'라고 결론지었던, 도전이 또 피하고 싶은 굴레가 되었다. 다시금 나타난 내 모습은 도저히 사랑할 수 없었다. 한심하기도 하고, 답답했다. 챌린지를 아예 포기할까까지 생각하게 되었다.

그러자 어떻게든 작성한 글에 은근히 나타냈던 나의 감정이 부끄러웠고, 싫었다. 그 마음들은 눈덩이처럼 커져 고작 글 한 문단, 몇 문장이 나라는 사람을 판단하거나 오해할 소지를 줄 수 있다는 생각이 들었고, 과연 '어디까지 솔직해야 할까?'라는 질문을 던지게 되었다. 그리고 그 시간이 길어지며 블로그 업로드를 중단하기 시작했다. 챌린지가 멈추어도 크게 관심을 가질 사람도 없다고 생각했기에 마음은 편하게 선택할 수 있었다. 물론 함께 하는 멤버들의 소식이 공유될 때마다, 해야 한다는 생각은 들었지만, 쉽사리 행동으로 옮기기 어려웠다. 이미 주어진 삶의 과제들만으로도 하루가 벅차다는 느낌에 한없이 짓눌려 있었다.

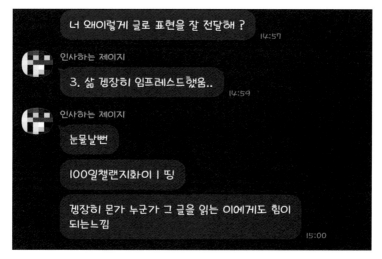

친구의 연락

그러던 어느 날, 미국에서 유학하고 있는 친구에게서 연락이 왔다. "왜 요즘 블로그 글이 안 올라와? 인상 깊게 보고 있었는데⋯. 글을 읽는 이에게도 힘이 되는 느낌이야. 다음 써 내려질 이야기들도 궁금해! 아직도 많이 남았다니 너무 좋아" 등의 말을 해주었다. 나중에 글로 무엇인가를 하는 직업을 갖는 건 어떠냐는 우스갯소리까지 하였다. 그 이야기를 들으면서, 지쳤던 마음이 위로받았고, 무엇보다 아무것도 이루지 못하고 있는 아님을 확인받는 느낌이었다. 꼭 오래 간직하고 싶은 이야기라는 생각이 들었고, 그때의 감정과 생각들도 꼭 기록하고 싶었다.

생각이 전환되기 시작했다. 누군가 나의 글을 통해 삶에 영향을 받았다는 사실이 기뻤고, 글이 친구와 새로운 대화를 할 수 있는 좋은 창구가 되었음이 좋았다. 나의 의미를, 관계의 변화를 실감하는 시간이었다. 그렇게 또 잠시 멈춰, 나를 돌아보았다. 이유와 핑계를 대며 포기하려고 하는 나의 습성을 재발견했다. 이번 챌린지를 통해 '꼭 해결할 또 하나의 과제로 여기자'라고 생각했다. 늘 같은 이유로 포기했지만, 이제는 제 자리에 머무르기 싫었다. 그래서 이러한 시간을 도전의 실패로 치부하는 것이 아니라 동력을 얻어 다시 시작하는 재정비의 시간으로 생각했다. 그냥 내 실상, 그 모습 그대로를 온전히 인정하고, 더 나은 사람이 되고 싶다는 열망의 진심으로 멈춤이 아닌 전진을 선택했다. 나에게 큰 변화이자, 성장이었다.

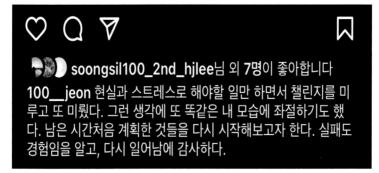

다시 시작하기

결단한 이 마음을 잊지 않으려, 멤버들과 공유하는 기록용 SNS에 다시 챌린지를 향한 의지를 다졌다. '남은 시간, 처음 계획한 것들을 다시 시작해보려고 한다. 실패도 경험이고, 다시 일어날 수 있음에 감사하다'라는 글을 남겼다. 교수님께서는 "1000% 응원해"라고 답글을 남겨주셨고, 멤버들도 이모티콘과 공감을 통해 응원해주었다. 혼자 계획하고, 도전했으면 그냥 없던 일로 조용히 넘어갔을 수 있었지만, 도전의 소식을 널리 알렸었기에, 함께하는 도전이었기에 다시 일어날 힘을 얻었다. 그렇게 서로를 격려하며 포기하지 않고 나아갈 수 있었다.

김밍둥

할 수 있다 뭐든 시작하자 겁먹지 말고!

2024. 3. 19. 21:00

답글   ♡ 0

└ 려리 (블로그주인)

AH JA!

2024. 3. 20. 10:11

답글   ♡ 0

다시 시작하기

그 후에 챌린지를 진행하며 어려움이 있거나 슬럼프에 빠질 것 같거나, 포기하고 싶었을 때에도 멤버들이 공유하는 도전글에는 늘 응원을 남겼다. 직접 함께하는 도전의 가치를 경험해보니 나의 작은 움직임이 그들에게도 다시 일어날 동력이 될 수 있으면 좋겠다라는 생각이었다. 각기 다른 목표를 향한 도전이었지만, 자신을 변화시켜보자는 같은 목적을 가지고 나아가고 있음이 서로에게 힘이 되었던 것 같다. 또한 그들의 도전 과제는 나에게 새로운 도전이 되었다. 내가 시도했다가 포기했었던 것도 있었고, 시도할 생각조차 하지 않았던 분야도 있었다. 도전기를 살펴 보며 다음에 나도 저렇게 해볼 수 있겠다 생각했다. 이번 계기를 통해 부끄러워 도전을 숨기는 것이 아니라 주위에 널리 알리게 될 것 같다. 내가 이 여정의 마무리까지 온 것은 혼자가 아니라 함께였기에 가능했다.

6. 새로운 소망

시간이 경과 될수록 크고 작은 실패는 계속되었다. 이 경험을 통해 '나는 외부와 내부 환경에 취약한 사람이구나'라는 것을 실감했다. 앞으로 변수들이 있어도 요동하지 않는 견고한 사람이 되어야겠다는 새로운 결심을 하는 계기가 되었다.

솔직하게 작성된 글은 내 걱정과 다르게 오히려 글을 읽는 이들과 공감대를 형성하였다. 내가 경험한 정의들에 대해 반문하고 다른 시각을 제시해주는 사람도 있었다. 글은 작성하는 이의 의도와 마음이 드러나는 것도 맞지만, 보는 이가 자유롭게 생각하고 해석할 수 있다는 것을 알게 되었다. 그렇기에 함부로 단언하는 말을 하는 것은 위험하다고 생각했다. 이는 더 넓은 시각으로, 다양한 생각을 할 수 있는 사람이 되고 싶다는 소망이 되었고, 말하기는 더디 하기로 다짐했다. 또 나를 나타내고 드러냄에 있어서 먼저 두려워하지 않고, 더 깊어지고 새로워질 관계들을 기대해보기로 하였다. 기록을 남기기 위해 평범함 속에서 특별함을 찾고, 하루의 인물과 사건을 매일 돌아보았다. 그렇게 나에게 하루는 늘 매일 의미가 있었다.

대외활동이 바빠지면서, 블로그에 작성할 글이 많아졌다. 혹 노선의 의미가 퇴색될 수 있겠다는 생각이 들어, 이어갈 만한 도전 과제를 고민했다. 도전이라고 생각하지 않았지만, '1일 차부터 내가 남들과 다르게 꾸준히 하고 있었던 것은 무엇이 있을까?' 생각해보았다. 그것은 바로 감사하기였다. 쉬워 보이지만, 실제로 행하는 사람들은 적었다. 하루를 살아가다 보면 분명 감사를 잃어버리기에 나는 챌린지로서의 규칙을 세웠다. '그러니까 감사, 그럼에도 감사, 그럴수록 감사, 그것까지 감사'였다. 그리고 단순히 혼자 생각하는 것이 아니라 친구들과 하루 5 감사를 나누기로 하였다. 처음에는 어색하기도 하였지만, 하루를 되돌아보고 생각해보며 더 감사할 수 있는 시간을 만들어냈다.

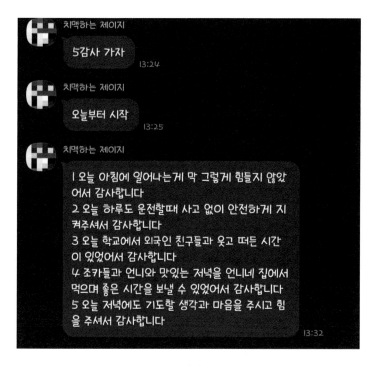

5감사

　당연한 줄 알았던 하루와 나와 함께하는 사람들, 모든 것에 소중함을 알았다. 그렇게 늘 감사의 제목들을 찾았다. 하루를 기분 좋게 만드는 것은 나 자신이라는 것을 다시 한번 알게 되었다. 또한 표현하는 사람이 되고자 하는 소망이 생겼다. 요즘 시대는 감정을 드러내기보다 숨기기 바쁘다. 되려 진심인 사람이 멍청한 사람이 된다. 하지만 챌린지를 진행하면서, '어떤 사람이 되고 싶다!'라는 열망과 더불어 대화를 통한 관계의 변화가 보이니, 한 명, 한 명의 관계를 더욱 깊이 만들어가고 싶었다. 그렇게 말과 글의 힘을 다시 한번 실감하며 도전을 마무리했다.

7. 성공과 실패는 생각하기 나름

100일의 시간은 짧은 듯 길었다. 기간이 끝난 후, 처음 든 생각은 '100일을 너무 가볍게 여겼다' 였다. 사람이 크게 달라질 수 없는 시간이라고 생각했는데, 되려 기간을 설정하고, 꾸준히 무엇을 이뤄본 적이 있었나를 돌아보게 되었다. 해보지 않아서 시간의 가치를 인정하지 못했다는 것을 알았다.

나의 도전은 표면적으로 볼 때, 완전 대 실패다. 결국 계획은 계획대로 이루어지지 못했고, 챌린지 자체를 자체적으로 중단한 시기도 있었고, 이유를 대며 도전 과제까지 수정했기 때문이다. 그러나 교수님께서 "과정을 통해 얻은 너의 배움과 경험이 제일 소중하다"라고 말씀해주신 것처럼, 나에게는 진짜 값진 시간이었다. 도전을 시작하며 나를 온전히 바라보았듯이, 남들의 시선이 아닌 나에게 집중해보았을 때, 대 성공이다.

나에게 100일 챌린지는 애초에 목표를 달성하는 것이 중요하지 않았던 것 같다. 이전과 다르게 기회를 놓치지 않는 것 자체에 도전의 의미가 있었기 때문이다. 과정의 어려움과 멈춤은 다음을 위한 거름이 되고, 동력이 되었다. 2보 전진을 위한 1보 후퇴, 점프를 위한 발돋움과 같은 시간임을 실감하는 경험이 되었다. 이제는 도전이 두렵지 않다. 아니, 두려움이 있더라도 극복할 수 있을 것이다. 100일이라는 시간은 나의 삶에서도 큰 변화를 일으켰다

본 챌린지는 '나'에서부터 시작되었다. 나를 돌아보는 것, 나를 알아가는 것, 새로운 소망을 품는 것 등 그 자체로 의미가 있었다. 나는 챌린지를 통해 자신에게 조금 더 자신감이 생겼다. 나를 사랑하고 싶은 마음이 생겼고, 사람과 환경에 대한 호기심, 관계에 대한 열망이 생겨났다. 변화의 바람이 또 불기 시작한다. 다음 펼쳐질 나의 삶을 기대한다.

8. 이 글을 읽는 당신에게

나는 챌린지 처음부터 계획된 출판 계획에 동참할 수 있으리라 상상하지 못했다. 나에게는 의미 있는 도전이었지만, 남들의 시각에서는 실패로 여기는 것이 마땅하기 때문이었

다. 그렇지만 기회라면, 또 잡고 싶었다. 그동안의 블로그 글과 친구들과 나눈 감사의 제목들을 돌아보았다. 사실 영향력을 끼칠만한 대단한 이야기들도 아니었다. 그렇기에 이번에도 나는 그저 있는 그대로의 이야기를 전달할 때 누군가에게는 울림이 될 수 있을 것이라는 생각이 들었다. 그렇게 또하나의 기회를 붙잡게 되었다.

내 또래 사람이라면 모두 알만한 국민 예능 '무한도전'의 처음 제목은 '무모한 도전'이었다. 별로 유명하지도 않은 멤버들이 뻘밭에서 온몸을 던져 구르고, 목욕탕 물을 퍼 나르는 등 도대체 왜 이런 짓을 하나 싶은 도전을 진행했다. 부정적 여론에도 그들은 다양한 부딪힘을 시도했다. 멤버들은 마치 서로 못난이 경쟁을 펼치고, 스스로 당당하고 초연한 태도를 보이며 웃음의 소재가 되었다. 이후에는 특집을 통해 봅슬레이, 댄스스포츠, 에어로빅 등에 도전하며 감동을 선사하기도 하였다. 나는 그저 재미의 시선에서만 바라보았던 '무한도전'이 챌린지를 하며 새삼 대단하게 느껴졌다. 인정받지 않아도, 뛰어나지 않아도 꾸준히 자신의 길을 나아간 그들이 멋있었다. 되던, 안되던 일단 하는 정신, 무한히 도전한다는 그 의미를 내 삶에 적용하고 싶었다. 이쯤에서 독자 여러분에게 질문을 던지고 싶다. '현재 도전하고 있나요?'

내가 전달하고자 하는 메시지는 단 하나이다. 여러분은 그 자체로 가치 있다는 것이다. 그러니 남들의 시선이 아닌 자신에게 집중하라는 것이다. 나를 바라볼 시간이 필요하다. 그리고 멈춤의 시간이 필요하면 마음껏 누렸으면 좋겠다. 누군가의 조언도 내가 직접 경험하지 못하면 큰 동력이 되지 못한다. 내가 의지와 결단을 가지고 현재를 벗어나고 싶을 때, 더 나아갈 수 있을 때, 실패가 끝이 아닐 수 있을 때 움직여라. 그리고 그러한 시작이 될 수 있을 것 같은 기회가 보일 때 꼭 놓치지 말고 잡기를 소망한다.

9. 나는 앞으로 말이야.

나는 앞으로 누군가에게 소망을 제시해주는 사람이 되고 싶다. 주위를 둘러보면, 대부분 부정적 생각에 잠식될 때, 가졌던 꿈들을 멀리하고 포기한다. 마음속에는 여전히 그 목표를 향한 열망이 존재하지만, 현재의 나를 바라볼 때 할 수 없을 것 같다고 생각한다. 이번 챌린지를 경험해 보니 생각의 전환만 된다면, 다시금 일어날 수 있다는 걸 알았다. 그래서 넘어져 있는 사람을 일으켜 줄 수 있는 사람이 될 것이다. 지배된 감정에서 벗어날 수 없을 때, 피하는 것이 아

니라 먼저 다가가 소망의 목소리를 전달하는 사람이 되고
싶다.

생각을 나열해 볼 때. 처음 가졌던 그 마음을 다시 되새길
때, 내 기분과 감정의 흐름을 파악할 때, 이유와 목적을 재
발견할 때 꿈은 꿈이 될 수 있었고, 더 큰 꿈을 꾸게 하였
다. 그래서 내가 먼저 자신을 속이지 않고, 가장 솔직할 수
있는 사람이 되기 위해 기록하는 습관을 유지할 것이다.

처음 말했던 나의 비전 '선한 영향력을 끼치는 사람'에
대한 구체적인 계획도 목표도 아직은 없다. 그러나 그저 내
가 주어진 삶을 열심히 살며, 마주하는 사람들에게 진심으로
대할 것이다. 주변 가치에 흔들리지 않고 나만의 가치를 세
워 끝까지 그 길을 묵묵히 걸어가는 것을 보여주고, 증명하
는 것이 나의 도전이 될 것 같다.

'숭실100일성공' 챌린지는 멈추지 않는 도전입니다.

끊임없이 변화하고 성장하려는 참가자들의 열정은 우리에게 큰 감동을 선사했습니다. 진정한 변화와 성장은 혼자만의 노력만으로는 이루기 어렵습니다. 함께 협력할 때, 예상을 뛰어넘는 놀라운 결과를 만들어 낼 수 있습니다. 이러한 경험을 통해 우리는 겸손을 배우고, 서로의 능력을 존중하며 더욱 발전할 수 있습니다. 성장의 방향은 스스로 결정하지만, 그 과정은 타인과의 협력을 통해 이루어진다는 것을 확신합니다.

이 챌린지는 단순한 100일의 여정이 아닙니다. 여러분이 삶의 주인공으로서 스스로 성장의 방향을 설정하고, 협력을 통해 더 큰 미래를 만들어 나가는 시작점입니다. 여러분이 쌓아 올린 경험과 깨달음은 앞으로 펼쳐질 무한한 가능성의 밑거름이 될 것입니다.

실천의 힘을 키우기 위한 도전은 계속됩니다. 숭실 100일 성공 챌린지 정신을 이어받아, 더 큰 꿈을 향해 나아가는 여러분의 빛나는 미래를 응원합니다.